M4.

Catalogage avant publication de Bibliothèque et Archives nationales du Québec et Bibliothèque et Archives Canada

Fillion, Gérald
Vos questions sur l'économie
Comprend des références bibliographiques et un index.
ISBN 978-2-89705-216-4
1. Économie politique - Ouvrages de vulgarisation. 2. Économie politique - Miscellanées. I. Delorme, François, 1957- . II. Titre.

HB173.F54 2014   330   C2013-942620-5

Présidente Caroline Jamet
Directrice de l'édition Martine Pelletier
Directrice de la commercialisation Sandrine Donkers

Éditeur délégué Yves Bellefleur
Conception graphique de la couverture Rachel Monnier
Conception et montage intérieur Célia Provencher-Galarneau
Révision linguistique Michèle Jean
Correction d'épreuves Yvan Dupuis
Photo couverture Jean Bernier
Illustrations iStock

L'éditeur bénéficie du soutien de la Société de développement des entreprises culturelles du Québec (SODEC) pour son programme d'édition et pour ses activités de promotion.

L'éditeur remercie le gouvernement du Québec de l'aide financière accordée à l'édition de cet ouvrage par l'entremise du Programme de crédit d'impôt pour l'édition de livres, administré par la SODEC.

Nous reconnaissons l'aide financière du gouvernement du Canada par l'entremise du Fonds du livre du Canada (FLC).

© Les Éditions La Presse
TOUS DROITS RÉSERVÉS
Dépôt légal – 1er trimestre 2014
ISBN 978-2-89705-216-4
Imprimé et relié au Canada

LES ÉDITIONS **LA PRESSE**
Les Éditions La Presse
7, rue Saint-Jacques
Montréal (Québec)
H2Y 1K9

GÉRALD FILLION · FRANÇOIS DELORME

VOS QUESTIONS
SUR L'ÉCONOMIE

75 QUESTIONS - 75 RÉPONSES

LES ÉDITIONS **LA PRESSE**

À Josée.
À Sébastien.

« LA TÂCHE DES VRAIS DÉMOCRATES
EST DE VOIR À CE QUE LE PEUPLE SOIT
DE PLUS EN PLUS AU COURANT, INSTRUIT,
RENSEIGNÉ SUR SES PROPRES INTÉRÊTS. »

– RENÉ LÉVESQUE

TABLE
DES MATIÈRES

CHAPITRE 1

L'ARGENT ET VOUS
Ou pourquoi l'argent ne pousse-t-il pas dans les arbres ?

CHAPITRE 2

LA MAISON, LES PROJETS, LA RETRAITE
Ou comment trouver l'équilibre, vous le savez, vous ?

CHAPITRE 3

LES (MAUDITES !) TAXES ET LES IMPÔTS
Ou jusqu'à quel point aimez-vous les déclarations de revenus ?

CHAPITRE 4

L'HONORABLE BANQUE CENTRALE
Ou comment la machine à imprimer de l'argent fonctionne-t-elle ?

CHAPITRE 7

LA BOURSE OU LA VIE
Ou la vraie question : l'une va-t-elle sans l'autre ?

CHAPITRE 8

LA BOURSE QUAND ON AIME ÇA BEAUCOUP, BEAUCOUP
Ou que fait votre oncle quand il dit : «Je gère mes placements, tout simplement» ?

CHAPITRE 9

LE MONDE DES ENTREPRISES
Ou est-il vrai qu'on peut faire plus avec moins ?

CHAPITRE 10

ENVIRONNEMENT, ÉCONOMIE ET ÉNERGIE
Ou comment expliquer que tout ça ne doit pas s'opposer ?

AVANT-PROPOS

Depuis plusieurs années, il est clair que les enjeux économiques ont une résonance plus importante, plus large dans la société. Nous l'avons constaté dans le cadre de notre travail, il y a une soif de comprendre, de connaître, de saisir les tenants et aboutissants, les causes et les effets des décisions et des événements socioéconomiques. L'intérêt que vous avez pour l'économie, c'est l'expression d'une curiosité, c'est une ouverture d'esprit, c'est le désir d'une personne qui s'engage, qui s'arrête, qui écoute, qui s'intéresse, qui participe, qui ira voter.

C'est dans cet esprit que nous avons écrit ce livre. Nous savons qu'il y a des gens qui ont le goût d'en savoir plus. Nous savons aussi qu'il est facile de créer une distance entre la compréhension et l'ignorance en tombant dans un jargon d'experts. C'est pourquoi ce livre est écrit dans un langage clair et simple et qu'il a pour objectif de souffler sur les braises de la connaissance. Chaque réponse est complète, mais ouvre à une recherche supplémentaire si vous avez le goût d'aller plus loin, d'en savoir davantage.

Et chacune des 75 questions est inspirée par les vôtres, celles reçues à *RDI économie*, celles entendues à l'Université de Sherbrooke, celles aussi que nous avons glanées, au hasard de discussions, qui reviennent régulièrement dans les rencontres, les repas, les conversations à bâtons rompus, celles qui «fatiguent» tout le monde et portent sur des sujets comme l'essence, les taux d'intérêt, l'écart des prix entre le Canada et les États-Unis, les impôts, la dette, le déficit, les banques centrales, la spéculation et plus encore.

Nous nous permettons même de vous proposer des questions que vous ne vous posez même pas ! Nous parlons de singe, de toilette, de sites de rencontres, de mariage et de LEGO notamment... et toujours, dans tous les cas, nous vous le promettons, d'économie !

Nous avons conçu ce livre en pensant à son utilisation. Il y a une question que vous vous posez, nous avons peut-être la réponse pour vous. Vous avez le goût de lire deux ou trois questions par jour, prenez votre temps, vous ne perdrez jamais le fil de l'histoire. Lecture de chevet, lecture de consultation, c'est un livre pratique et accessible.

Merci de participer à ce livre. Il est pour vous. Il a été fait en pensant à vous. Si vous avez d'autres questions, n'hésitez pas à nous les faire parvenir.

Bonne lecture !

Gérald Fillion
gerald.fillion@radio-canada.ca

François Delorme
fdelorme@me.com

CHAPITRE 1

L'ARGENT ET VOUS

OU POURQUOI L'ARGENT
NE POUSSE-T-IL PAS DANS LES ARBRES ?

COMMENT CALCULER
SON TAUX D'ENDETTEMENT ?

Combien de fois a-t-on parlé dans les médias du taux « inquiétant » ou « élevé » d'endettement des ménages ? Dans les dernières années, la Banque du Canada a mis en garde les citoyens contre le sur-endettement. C'est la première menace qui plane sur l'économie du pays, selon plusieurs observateurs, notamment le Fonds moné-taire international (FMI). Mais de quoi parle-t-on exactement ?

Le taux d'endettement, c'est le **ratio*** de la dette du ménage par rap-port à son revenu disponible. Autrement dit, vous ajoutez votre dette hypothécaire à vos dettes de crédit (cartes de crédit, autos, prêts, etc.) et vous divisez par votre revenu disponible, c'est-à-dire votre revenu net après les impôts et les cotisations, additionné des prestations auxquelles vous avez droit.

Exemple : vous avez 180 000 $ de dette hypothécaire, une dette de 10 000 $ à rembourser sur une automobile et 10 000 $ en prêt ban-caire. Total de votre endettement : 200 000 $. Si votre revenu net dis-ponible dans votre ménage est de 100 000 $, vous devez faire le calcul suivant : 200 000 $/100 000 $ x 100 = 200 %. En d'autres termes, pour chaque tranche de 100 $ de revenu disponible, vous avez une dette de 200 $.

Dans les dernières années, le taux d'endettement des ménages au Canada a dépassé la barre des 160 %.

Une précision s'impose : il est clair que le taux d'endettement tel qu'expliqué ne dit pas tout. Vous n'avez pas, un bon matin, un revenu disponible de 100 000 $ et vous n'avez pas à rembourser, ce même matin, la somme de 200 000 $. C'est un indicateur pour vous per-mettre de mesurer l'importance de votre dette. « Ce qui compte vrai-ment, écrit l'économiste en chef de la Banque TD, Craig Alexander,

---

* **La définition des mots en gras se trouve dans le glossaire.**

c'est la qualité des actifs acquis par emprunt et, surtout, la capacité du ménage à respecter ses engagements financiers[1]. »

Pour mieux vous guider dans l'établissement d'un plan mensuel qui pourra vous indiquer si vous êtes trop endetté par rapport à vos moyens, il y a une autre façon de calculer. L'Agence de la consommation en matière financière du Canada établit que votre dette de crédit à la consommation ne devrait pas dépasser 15 % ou 20 % de votre revenu mensuel brut, et que le total de votre dette (y compris l'hypothèque) ne devrait pas dépasser un maximum de 35 % ou 40 % de ce revenu mensuel brut[2].

Ainsi, si vous avez 2000 $ de paiements à faire par mois (hypothèque et remboursement de crédit) et si le revenu de votre ménage avant impôts est de 4500 $, vous devez faire le calcul suivant : 2000 $/4500 $ x 100 = 44,4 %. Votre endettement est plus élevé que recommandé.

L'endettement des ménages augmente depuis 30 ans, selon la Banque du Canada, et c'est à la fois attribuable à l'endettement hypothécaire et au crédit à la consommation. Les faibles taux d'intérêt ont favorisé l'achat de maisons et la montée des prix. Cette situation a permis à plusieurs ménages de mettre la valeur de leur maison en garantie pour d'autres types de crédit à la consommation. L'autoroute de l'endettement a pris de la vitesse...

Le graphique de la page suivante, préparé par la Banque du Canada[3] à partir de différentes sources, exprime bien la montée de l'endettement dans plusieurs pays riches. On remarque toutefois qu'en 2011, seul le Canada voyait son niveau d'endettement poursuivre sa montée tandis que les Américains, les Européens et les Britanniques remboursaient leur dette.

RATIO DE LA DETTE DES MÉNAGES PAR RAPPORT À LEUR REVENU DISPONIBLE

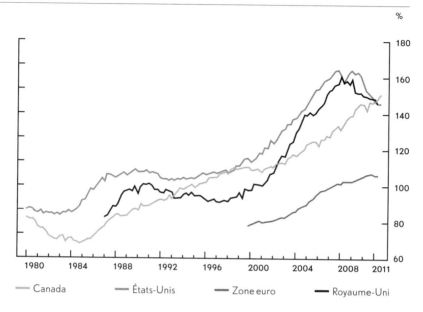

Sources : Banque du Canada, Statistique Canada, Réserve fédérale américaine, Banque des Règlements internationaux et Office for National Statistics (Royaume-Uni)

« Chaque année depuis 2000, écrit la Banque du Canada[4], quelque 100 000 Canadiens engagent des procédures d'insolvabilité. C'est trois fois plus qu'en 1980. Dans la majorité des cas, ces procédures débouchent sur la faillite. »

Choisir une stratégie pour éviter de s'endetter ou réduire une dette est, bien sûr, un choix très personnel. Mais, au moins, vous avez là quelques outils pour mieux connaître votre situation réelle d'endettement.

D'OÙ VIENT L'ARGENT DE TOUS LES JOURS ?

Il y a deux grands mystères dans la vie : l'amour et l'argent ! Si l'amour a été amplement traité dans les romans, les films et à la télévision, l'argent est presque toujours laissé pour compte. Essayons donc de voir d'où vient cet argent que nous dépensons tous les jours.

On pense souvent que c'est le gouvernement qui crée l'argent. C'est vrai, mais seulement en partie. Dans chaque pays, il y a une banque centrale qui crée de la monnaie. Mais l'argent, c'est bien plus que les pièces et les billets en papier. L'argent est aussi créé par des entreprises privées : les banques, qui nous font crédit et qui nous accordent des prêts. Ces prêts proviennent des dépôts des clients. Vous avez bien compris que les banques ne se contentent pas de laisser dormir tout cet argent dans leurs chambres fortes ! Elles l'utilisent pour faire d'autres prêts à leurs clients.

Si une banque conserve en réserve 1 $ pour chaque tranche de 10 $ déposés (soit 10 %) - ce qu'on appelle le taux de réserve -, elle peut donc prêter 9 $ à ses clients. Elle peut prêter cet argent à un client qui, par exemple, voudrait contracter un prêt de 10 000 $ pour acheter une voiture d'occasion chez un concessionnaire. Cette somme serait remise au concessionnaire qui, à son tour, irait déposer cet argent à la banque. Avec cette somme de 10 000 $ dans ses coffres, la banque pourrait prêter encore 90 % de cette somme. Autrement dit, elle garde en réserve 1000 $ et prête 9000 $ à un autre client. Et ainsi de suite, ce processus de prêt-dépôt-prêt pouvant se répéter plusieurs fois. C'est ce qu'on appelle le « système de réserves fractionnaires », qui permet à une banque de prêter l'argent nouvellement déposé chez elle.

Prenons un exemple concret : si une toute nouvelle banque ouvrait ses portes avec un montant initial de 1111 $, elle pourrait alors prêter 10 000 $ en supposant que son taux de réserve, l'argent qu'elle doit conserver dans ses coffres, est de 10 %. Elle peut donc prêter 90 % de la valeur ou neuf fois le montant initial qu'elle possède. Donc, 1111 $ x 9 = 10 000 $.

Comme les poupées russes qui s'emboîtent et deviennent toujours plus petites, chaque nouveau dépôt peut mener à un nouveau prêt toujours plus petit et cette série décroissante est infinie.

Étape	Dépôt ($)	Réserve ($)	Nouveau prêt ($)
1	1111	111	10 000
2	10 000	1000	9000
3	9000	900	8100
4	8100	810	7290
	Et ainsi de suite…		

À la toute fin du processus, à partir d'un prêt initial de 10 000 $, ce seront près de 100 000 $ qui auront été injectés dans l'économie. Et évidemment, toutes les banques à charte qui participent à ce processus, déclenché initialement à partir de 1111 $ sonnants et trébuchants, tireront un profit (des intérêts chargés sur les différents prêts) sur une somme totale de 100 000 $. Et, faut-il le rappeler, les banques ont prêté 100 000 $ qu'elles ne possèdent pas.

Depuis 1994, la Banque du Canada n'oblige plus les banques à conserver une réserve minimum. Les banques déterminent elles-mêmes le niveau de réserves qu'elles désirent conserver dans leurs chambres fortes. En général, l'argent imprimé par le gouvernement représente moins de 5 % de ce qui est en circulation.

Mais l'argent créé dans une économie ne provient pas seulement des dépôts des banques et du processus de multiplication des petits pains.

Au Canada, en mai 2013, il y avait 1,7 billion (1710 milliards) de dollars prêtés par les banques. Mais il n'y avait que 1,3 billion (1378 milliards) de dollars de dépôts. Il y a donc plus d'argent prêté que de dépôts. Comment est-ce possible ? D'où provient l'argent qui manque ?

La différence, c'est ce que les banques empruntent sur les marchés financiers, c'est-à-dire auprès d'autres banques, d'assureurs ou de fonds d'investissement. Elles ont aussi accès à des prêts de la Banque du Canada.

En somme, les banques savent mieux que quiconque comment faire fructifier l'argent de leurs clients. Même celui qu'elles n'ont pas !

COMMENT (ET POURQUOI) CALCULE-T-ON L'INFLATION ?

Que vaudra votre fonds de pension dans 20 ans ? La réponse dépend, entre autres, de l'évolution des prix et du pouvoir d'achat de notre monnaie.

En économie, le niveau des prix nous intéresse pour deux raisons :

1. il nous permet de calculer l'**inflation**, soit la variation des prix d'une année à l'autre ;
2. il nous permet de déterminer le pouvoir d'achat.

Si votre salaire a augmenté de 3 % cette année et les prix de 5 % pendant la même période, votre salaire nominal a augmenté mais votre salaire réel a baissé. Votre pouvoir d'achat, ce que vous pouvez vraiment acheter avec votre argent, est moins grand que l'année dernière.

Le calcul de l'inflation, soit de l'indice des prix à la consommation (IPC), est utilisé pour établir les hausses de salaire consenties, les ajustements de loyers ou de pensions alimentaires, etc. Les régimes de retraite privés et publics (Sécurité de la vieillesse, Régime des rentes du Québec et Régime de pension du Canada), les déductions de l'impôt sur le revenu des particuliers et certains paiements sociaux des gouvernements sont aussi indexés sur l'IPC, c'est-à-dire établis en fonction de la hausse des prix.

Tous les mois, Statistique Canada fait le relevé des prix d'environ 600 biens de consommation. Au total, chaque année, l'organisme parvient à obtenir près de 950 000 relevés de prix : le coût pour se loger, les frais de transport, l'épicerie, les loisirs, les vêtements, l'alcool, etc.

Statistique Canada tient compte de nos dépenses les plus importantes. C'est pour cette raison que son panier modèle de biens de consommation est composé à 26,6 % de prix liés au logement, de 19,9 % de relevés de prix liés aux transports et de 17 % pour les coûts des aliments.

PROPORTIONS DU PANIER DE L'INDICE DES PRIX À LA CONSOMMATION

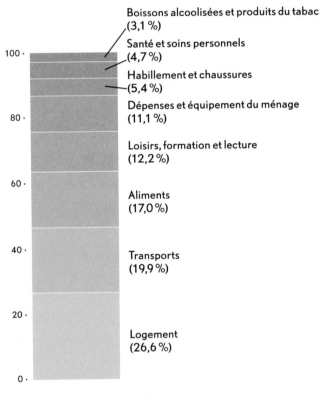

Source : Statistique Canada

La Banque du Canada a pour mission de contrôler, par sa **politique monétaire**, le taux d'inflation. Depuis 1991, la banque centrale établit une cible explicite d'inflation. En ce moment, et pour une période de cinq ans se terminant en 2016, la cible moyenne est de 2 % avec des variations entre 1 % et 3 %. La Banque hausse ou baisse son taux directeur pour maintenir l'inflation autour de 2 %.

Si les prix augmentent trop et que l'inflation s'envole, la banque centrale haussera ses taux pour calmer l'économie. Des taux plus élevés, ce sont des coûts d'emprunt plus élevés. Si les prix ont tendance à très faiblement augmenter, la banque aura tendance à baisser son taux directeur pour stimuler la demande, rendre plus accessibles les emprunts.

Une inflation relativement faible et stable profite à l'économie. Elle permet de prendre de meilleures décisions à long terme et diminue l'incertitude. Une inflation hors de contrôle est nocive pour tout le monde.

Au Canada, on a vécu une période de très forte inflation dans les années 70 à la suite du premier choc pétrolier. Le taux d'inflation est passé de 3 % au début des années 70 à 11 % en 1975, ce qui a amené le gouvernement fédéral à instaurer une loi sur le contrôle des prix et des salaires de 1975 à 1978.

Il y a eu des épisodes franchement spectaculaires d'inflation hors contrôle dans l'histoire. C'est ce qu'on appelle l'**hyperinflation**, définie comme une période durant laquelle l'inflation se maintient au-dessus de 50 % par mois (12 500 % par année).

L'Allemagne a connu une phase d'hyperinflation au sortir de la Première Guerre mondiale. Le conflit avait alors creusé de façon dramatique le déficit de l'État et incité l'Allemagne à imprimer énormément de monnaie pour financer les dépenses publiques. On venait d'ouvrir les vannes de l'hyperinflation. Le taux d'inflation s'est établi à 16 579 999 % en 1923, vous imaginez ? Les prix doublaient tous les trois jours !

La planche à billets est aussi la grande responsable d'un autre cas célèbre d'hyperinflation : celui du Zimbabwe. Une série de politiques publiques désastreuses, dont la confiscation des terres des fermiers blancs et les réformes minières, ont provoqué une chute des recettes fiscales. Pour financer ses réformes, le gouvernement s'est tourné vers la planche à billets. Aujourd'hui, le taux annuel d'inflation atteint 89 700 000 000 000 000 000 % (soit 89,7 sextillions %).

Mieux vaut acheter deux litres de lait à la fois, car, à ce rythme, le prix des biens de consommation double toutes les 24 heures.

COMMENT LE TAUX DE CHÔMAGE SE CALCULE-T-IL ?

Tous les mois, Statistique Canada sonde 100 000 personnes âgées de 15 ans et plus dans tout le pays. Ce sondage est effectué par téléphone ou en personne et permet de recueillir des informations sur l'emploi, la rémunération, la couverture syndicale et quantité d'autres détails pour bâtir des statistiques fiables et représentatives.

C'est grâce à ces données qu'on peut calculer le **taux de chômage** par province. Le calcul est simple : on divise le nombre de chômeurs par la population active, c'est-à-dire les gens qui ont un emploi, les travailleurs autonomes, les chômeurs qui cherchent activement un emploi et qui sont aptes à travailler.

Pour faire partie de la statistique sur le taux de chômage, un chômeur doit répondre à l'une des trois conditions suivantes :

1. avoir activement cherché du travail pendant les quatre semaines précédant l'enquête;

2. attendre un rappel au travail après une mise à pied temporaire;

3. commencer un nouvel emploi dans les quatre semaines suivant l'enquête.

Il faut plus que « ne pas avoir de job » pour être inclus dans la statistique, pour exister finalement! Il faut travailler ou chercher un emploi.

Le taux de chômage est un indicateur très utile, mais imparfait. Il ne tient pas compte, notamment, de ce qu'on appelle l'**économie souterraine**. Par exemple, des gens sans emploi qui travaillent au noir – qui ne déclarent pas tous leurs revenus au fisc – et qui contribuent à l'activité économique ne sont pas comptés comme chômeurs.

Autre problème : le sous-emploi. En pleine récession, des entreprises réduisent ou demandent à leurs employés de partager les heures de travail. Dans les statistiques, le taux de chômage ne va pas augmenter. Mais, dans la réalité, ces travailleurs ont vu leurs revenus baisser et ils seraient aptes à travailler à temps plein.

Le nombre de chômeurs grimpe habituellement en période de ralentissement économique et diminue en période de reprise. Est-ce à dire que le taux de chômage est un bon indicateur de la santé de notre économie? La réponse est non.

Le taux de chômage enregistre les gens en recherche d'emploi. Mais si la démarche est trop difficile et parsemée d'échecs, un chômeur peut se décourager et abandonner. Cette personne découragée se retrouve alors écartée de la statistique, elle n'est plus comptée parmi les chômeurs.

Prenons un exemple : nous avons cinq chômeurs et la population active est composée de 40 personnes. Le taux de chômage est de 12,5 % (5/40 x 100). Supposons que, parmi nos cinq chômeurs qui se cherchent un emploi, l'un se décourage. Notre nouveau taux de chômage est donc de 10,3 % (4/39 x 100). La personne qui n'est plus en recherche d'emploi ne fait plus partie de la population active et n'est plus comptée comme étant au chômage. Mais, même si le taux de chômage est passé de 12,5 à 10,3 %, aucun emploi n'a été créé.

Dans cet exemple précis, la baisse du taux de chômage nous induit en erreur sur la santé réelle de l'économie. Si vous vous intéressez à la situation de l'emploi et du chômage, il faut regarder le chômage, certes, mais aussi la création d'emplois et le **taux d'emploi.**

HYPOTHÈQUES : TAUX FIXE OU TAUX VARIABLE ?

C'est la grande question qui surgit chaque fois que vient le temps de renouveler son hypothèque. L'idée est toujours de payer le moins d'intérêts possible. Mais le petit problème, c'est qu'on ne connaît pas l'avenir! Si bien que les prévisions sur les mouvements de **taux d'intérêt** dans le marché ressemblent plus souvent à des prédictions ou à des souhaits qu'à une réelle tendance s'appuyant sur des données fondamentales. Alors, taux fixe ou taux variable?

Historiquement, il semble que le taux variable l'emporte sur le taux fixe. Le graphique suivant compare les deux taux sur un contrat de cinq ans, de 2006 à 2013[5]. Comme vous pouvez le constater, presque 100 % du temps, le taux variable est plus avantageux que le taux fixe avec, toutefois, des écarts qui varient.

HISTORIQUE DES TAUX VARIABLES VS TAUX HYPOTHÉCAIRES FIXES

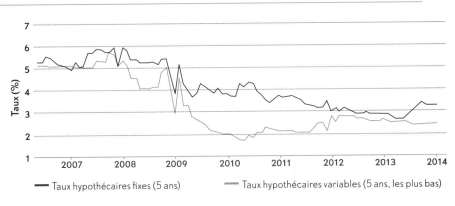

Source: RateHub.ca Mortgage Brokers

Le chercheur Moshe Milevsky, de l'Université York, a publié plusieurs études sur le sujet qui arrivent à la même conclusion : le taux variable est gagnant dans la très grande majorité des cas. De 1950 à 2007, il affirme que 90,1% du temps, le Canadien moyen a payé moins d'intérêts sur un taux variable que sur un taux fixe. C'est un gain de 20 630 $ par tranche d'emprunt de 100 000 $ sur 15 ans [6].

Cela dit, le taux fixe demeure plus populaire que le taux variable [7] :

POURCENTAGE DES PRÊTS HYPOTHÉCAIRES PAR TYPE ET PAR GROUPE D'ÂGE

Type d'hypothèque	18-34	35-54	55 +	Total
Taux fixe	69 %	69 %	69 %	69 %
Taux variable	24 %	26 %	28 %	26 %
Combiné	7 %	5 %	3 %	5 %
Tous les types	100 %	100 %	100 %	100 %

Source : Étude Maritz pour l'Association canadienne des conseillers hypothécaires accrédités, printemps 2013, analyse de l'auteur

Le taux variable s'établit en fonction du taux préférentiel (voir page 79) de la Banque du Canada. À ce taux, les banques vous offrent un escompte ou un ajout d'intérêt. Par exemple, si le **taux préférentiel** est de 3 % et l'escompte proposé est de 0,75 point, vous vous retrouvez, à la signature, avec un taux de 2,25 % (3,0 moins 0,75). Si le taux préférentiel augmente de 0,25 point de pourcentage à 3,25 %, votre taux d'intérêt variable passera à 2,5 % (3,25 moins 0,75).

Ainsi, la grande question : êtes-vous prêt à vivre avec un taux qui peut varier, qui peut surtout monter et faire augmenter vos paiements hypothécaires ? Si la réponse est oui, le taux variable est fait pour vous. Si non, le taux fixe vous conviendra mieux, mais vous allez presque assurément payer plus d'intérêts.

Le site canadianmortgagetrends.com vous invite à répondre à cinq questions[8] pour vous aider à prendre votre décision :

1. Votre revenu est-il prévisible ? Travaillez-vous à forfait avec des variations de revenus ? Êtes-vous en mesure d'établir que votre revenu sera stable dans les prochaines années ?

2. En tenant compte de vos futurs paiements hypothécaires, votre niveau d'endettement demeure-t-il soutenable (voir page 17) ?

3. Êtes-vous capable de **refinancer** votre dette en fonction de la valeur de votre maison ? Vous avez cette possibilité si votre endettement ne dépasse pas 80-85 % de la valeur de votre maison. Exemple : vous avez une dette de 90 000 $ sur une maison qui vaut 100 000 $. Votre dette équivaut à 90 % de la valeur de votre propriété. Il sera difficile pour vous de refinancer votre dette. Si vous avez une dette de 90 000 $ sur une maison dont la valeur est de 200 000 $, vous serez capable de refinancer votre emprunt en cas de besoin puisque votre dette représente alors 45 % de la valeur de votre actif.

4. Avez-vous des **liquidités** pour être en mesure de faire vos paiements pendant six mois advenant la perte d'un emploi ou un coup dur? À la limite, avez-vous du crédit disponible ?

5. Comprenez-vous bien qu'une hausse des taux de 2,5 points de pourcentage peut entraîner une hausse de 30 % de vos paiements ? Et si les taux grimpaient de quatre points de pourcentage ?

Alors, taux fixe ou taux variable ? À vous de juger.

AUTO : ON LOUE OU ON ACHÈTE ?

Après la question sur le taux fixe ou le taux variable pour son contrat hypothécaire, l'autre grand dilemme financier pour bien des ménages est de savoir si on achète une auto ou si on signe un contrat de location avec le concessionnaire.

Encore là, une « religion » n'est pas meilleure qu'une autre. Votre voisin, votre beau-frère et votre collègue de travail ont tous une opinion ou une expérience sur ce qu'il faut faire ou ne pas faire. Mais ce n'est pas si simple et, surtout, la bonne solution dépend de plusieurs facteurs.

Quantité d'experts se sont prononcés, dont le conseiller financier Éric Brassard[9] et le consultant expert dans le secteur de l'automobile Dennis Desrosiers[10].

Voici sept choses à savoir pour prendre une bonne décision :

1. Les mensualités sur une location sont plus faibles que sur un achat parce que le calcul des paiements d'une location s'effectue sur un emprunt dont la période s'étend de 65 à 85 mois, même si le contrat de location est de 36 ou 48 mois. À la fin du bail, il faut payer le solde restant ou retourner le véhicule au concessionnaire.

2. Attention ! dit Dennis Desrosiers : louer une auto est l'emprunt le plus cher sur le marché. Vous payez plus d'intérêts que sur un prêt pour l'achat d'une voiture et, à la fin, vous n'êtes pas propriétaire de l'automobile.

3. On peut acheter après avoir loué pendant trois ou quatre ans, ne l'oubliez pas. Si le taux d'intérêt à la location est plus avantageux que le taux offert pour un achat, pourquoi ne pas louer à plus faible taux et payer le solde à la fin du bail ? Selon Éric Brassard, « mieux vaut profiter d'un taux avantageux au moment où le solde de la dette est le plus élevé ».

4. Éric Brassard est catégorique : « La location est une police d'assurance qui limite la dépréciation de votre auto à un montant convenu d'avance, égal à la différence entre le prix négocié de la voiture et la **valeur résiduelle** à la fin du bail. »

5. Plus on roule, plus la voiture perd de sa valeur. Alors oui, il est possible que vous ayez à payer pour les kilomètres excédentaires à la fin du bail, mais dites-vous bien que le propriétaire d'une auto va, en quelque sorte, se trouver à payer lui aussi cet excédent parce qu'un kilométrage élevé réduit la valeur de revente d'une auto.

6. Si vous changez d'auto souvent, louer est une bonne option la plupart du temps, mais pas pour tous les modèles. Si vous aimez votre auto et si vous voulez la garder longtemps, Dennis Desrosiers déconseille totalement la location.

7. Si vous avez de l'argent comptant disponible, payez votre auto *cash*, recommande Dennis Desrosiers. Pas d'intérêts à payer et le montant de la revente, au moment qui vous convient, ira directement dans vos poches. Mais, on en conviendra, peu de gens peuvent payer comptant leur automobile, à moins que vous vous promeniez avec de l'argent dans vos bas... Cela dit, si vous empruntez de l'argent à un faible taux d'intérêt et si vous investissez l'argent comptant que vous possédez à un taux d'intérêt plus élevé, payer *cash* n'est peut-être pas la meilleure solution.

Il y a plusieurs détails à vérifier avant de louer ou d'acheter une auto. L'Office de protection du consommateur du Québec offre beaucoup d'informations sur le sujet[11].

COMMENT EXPLIQUER LES VARIATIONS DU PRIX DE L'ESSENCE?

Votre grand-père faisait le plein d'essence de son Studebaker 1955 V8 pour un gros 12 $! C'était à l'époque où le prix de l'essence était en moyenne de 16 cents le litre (années 1950-1960).

Cette question du prix de l'essence est probablement le sujet préféré des Québécois avec la météo et le Canadien. C'est la question qui nous est le plus souvent posée. Et pour cause! Les variations du prix de l'essence sont difficiles à comprendre. En fait, il y a une partie qui s'explique et une autre qui ne s'explique pas du tout. On va commencer par l'explication rationnelle.

Plusieurs composantes entrent dans le calcul du prix de l'essence. Leur prix fluctue sur le marché, sauf les taxes, et ne représente jamais de façon exacte la même part dans le prix de l'essence. Mais, à partir d'observations faites dans les dernières années, on peut arriver à ces approximations[12] :

Composantes	Part du prix de l'essence
Pétrole	45 à 55 %
Taxes	30 à 35 %
Raffinage	5 à 15 %
Détail	5 à 10 %

Lorsque les prix du pétrole ou du raffinage augmentent, la tendance des prix à la pompe est à la hausse. Lorsque c'est le contraire, que les prix de la matière brute et les **marges** de raffinage se réduisent, les prix de l'essence dans les stations-service ont tendance à baisser. Le problème, ce sont les fluctuations. Si les prix étaient fixés en fonction d'un barème très précis, à des moments précis, les variations des prix seraient à coup sûr moins fortes. Mais ce n'est pas le cas.

Et c'est ici que s'arrête l'explication rationnelle. Le reste appartient davantage au monde de la spéculation. Certains crient au complot et à l'avarice des pétrolières qui contrôlent l'extraction de pétrole, le raffinage, dont les capacités de production sont limitées, et une partie de la distribution chez les détaillants. Mais, il y a un bémol ici : selon Ressources naturelles Canada, 77 % des stations-service au Canada appartiennent à des propriétaires indépendants, qui fixent leurs prix[13].

Prenons un exemple : le 12 septembre 2012[14], le prix de l'essence bondit à Montréal de 10 à 14 cents selon les stations. En certains endroits, le prix du litre d'essence ordinaire, qui était sous la barre de 1,40 $, est passé à tout près de 1,54 $. Pourquoi ? L'Iran n'avait pourtant pas fermé le détroit d'Ormuz par où transite 20 % de la production pétrolière du monde. L'Arabie saoudite ne venait pas non plus d'annoncer la suspension pour une durée indéterminée de ses exportations de pétrole. Et les raffineries du Nord-Est américain ne venaient pas d'annoncer la fin de leurs activités.

Est-ce que la tendance était à la hausse ? Oui. Mais, dans un marché normal, le détaillant aurait pu continuer à prendre 5 à 7 cents de marge bénéficiaire et le prix de l'essence aurait augmenté de façon plus prévisible et, disons, acceptable pour l'automobiliste, à 1,44 $ par exemple. Le CAA-Québec fait œuvre utile en proposant un outil qui permet de calculer le prix réaliste pour votre région :

www.caaquebec.com/fr/sur-la-route/interets-publics/dossier-essence/info-essence

Au moment d'écrire ces lignes, tous les politiciens avaient rejeté l'option d'un prix plafond pour l'essence, estimant que cela ne ferait pas baisser les prix. Nous savons que les prix ne sont pas appelés à baisser[15]. Mais, cette réponse ne répond pas à la question : comment réduire les fluctuations ? Est-ce qu'un prix plafond ne serait pas la solution pour mieux contrôler les variations de prix et permettre aux automobilistes de mieux prévoir leur consommation d'essence ? Est-ce possible ?

Pour connaître le prix de l'essence partout au Canada, consultez ce site :

www.kentmarketingservices.com/dnn/PetroleumPriceData.aspx

EST-CE PAYANT DE « S'AVANTAGER » SUR UN SITE DE RENCONTRES?

Assis à une terrasse, vous attendez celle avec qui vous correspondez depuis deux semaines par l'entremise d'un site de rencontres. Au bout d'un moment, une femme s'approche de votre table : « Bonjour, je suis Maryse ! » dit-elle. Mais la « Maryse » en question n'est pas exactement celle que vous aviez vue sur les photos.

Il est très fréquent que les gens mentent lorsqu'ils se décrivent sur un site de rencontres. Mais quel est le lien entre l'économie et le fait de mentir sur ces sites ?

D'abord, si on se fie à la théorie économique des marchés « bifaces », le site de rencontres sur Internet est économique[16]. En gros, un marché est dit « biface » lorsqu'on est en présence d'une plateforme qui comporte deux types d'usagers dont les décisions de l'un ont un impact sur celles de l'autre. Dans le cas d'un site de rencontres en ligne (ici hétérosexuel), les hommes jugeront le site utile seulement s'il y a présence de femmes, et vice-versa.

Le site Internet permet aussi de diminuer les frais de transaction par rapport à une situation où les femmes et les hommes devraient organiser une rencontre. La plateforme permet aussi de moduler le prix d'abonnement en fonction de l'effet recherché. Ainsi, pour les attirer, les sites de rencontres fixent généralement un tarif plus bas pour les femmes que pour les hommes. De plus, un homme qui souscrirait à un abonnement plus coûteux (et donc comportant davantage de services) indiquerait aux femmes abonnées qu'il est un candidat « sérieux ».

Mais, une fois qu'on a compris la théorie des marchés bifaces, comment trouver l'âme sœur ? L'**économie comportementale** vient alors à notre rescousse. Voici quelques conclusions tirées d'études sérieuses dans ce domaine particulier :

- Dans leur quête du Roméo rêvé ou de la Juliette idéale, les gens recherchent leurs semblables : par exemple, les femmes célibataires éviteront généralement les hommes divorcés et les divorcés se préféreront entre eux. Les hommes ou les femmes ayant des enfants privilégieront des candidats avec enfants. Mais sachez que les gens sans enfant ont la cote par rapport à ceux avec enfant.

- L'apparence physique est évidemment très importante.

- Les hommes tendent à éviter les femmes plus instruites qu'eux.

- Les hommes déclarant des revenus élevés reçoivent jusqu'à trois fois plus de réponses que ceux ayant un revenu plus faible.

Malgré d'interminables heures passées sur le site de rencontres et votre abonnement « privilège », vous êtes toujours aussi solitairement célibataire ? Ne vous découragez pas, il vous reste une issue : faites comme tout le monde et rendez-vous plus attrayant ! Les études en économie comportementale indiquent qu'en vous « avantageant », vous augmenterez grandement vos chances de rencontrer l'âme sœur.

D'après une étude récente, 80 % des gens mentent sur les sites de rencontres, mais ces petites « menteries » demeurent bénignes, les gens ne voulant pas avoir à rétablir les faits trop durement si une rencontre se concrétisait. Au sommet de la liste des petits mensonges : l'âge, la taille et le poids. Sur ce dernier point en particulier, les résultats d'études indiquent que les gens s'enlèvent en moyenne 2,2 kilos et se grandissent d'environ 2 cm. Mais, messieurs, sachez que pour 40 000 $ de plus ajoutés à votre revenu annuel, votre dulcinée potentielle sera disposée à « mettre de côté » le fait que vous ne mesurez que 1 m 75 et non le 1 m 80 de son Brad Pitt fantasmé !

CHAPITRE 2

LA MAISON, LES PROJETS, LA RETRAITE

OU COMMENT TROUVER L'ÉQUILIBRE, VOUS LE SAVEZ, VOUS ?

REER ET CELI : QUELLES SONT LES DIFFÉRENCES ?

C'est une question que les spécialistes en placement se font poser tous les jours depuis quelques années. Les deux offrent des avantages fiscaux indéniables, mais il y a des règles qui sont différentes entre le REER et le CELI.

D'abord, un rappel : REER veut dire « régime enregistré d'épargne-retraite » et CELI signifie « compte d'épargne libre d'impôt ». Le CELI est récent. Il a été introduit par le gouvernement du Canada en 2009 et jouit des mêmes avantages dans le traitement fiscal au Québec.

Si le REER est un **abri fiscal**, le CELI est carrément un cadeau fiscal. Dans le cas du REER, si vous déposez 5000 $, vous allez réduire la part de revenu imposable pour l'année de 5000 $. Mais vous verserez l'impôt nécessaire lorsque vous retirerez votre montant de 5000 $, en plus de payer de l'impôt sur l'intérêt accumulé sur cette somme. C'est de l'impôt différé ou reporté, en quelque sorte.

Le CELI va plus loin. On vous donne un congé d'impôt sur les intérêts que vous avez perçus sur l'argent déposé dans le CELI. Il faut savoir que l'argent que vous placez dans un CELI est déjà imposé. Contrairement au REER, placer 5000 $ dans un CELI ne vous permet pas de réduire votre revenu imposable de l'année de 5000 $. En revanche, lorsque vous faites des retraits de votre CELI, vous n'avez pas d'autres impôts à payer et le cadeau, rappelons-le, est un congé d'impôt sur les intérêts.

Voici en résumé les différences entre le CELI et le REER :

	REER	CELI
Impôt	Les cotisations réduisent le revenu imposable. L'impôt est payé lors des retraits.	Les cotisations ne réduisent pas l'impôt à verser. En revanche, pas d'impôt à payer sur le capital et les intérêts lors des retraits.
Durée de vie	Il faut retirer les sommes ou les transférer dans un FERR (voir page 42) ou une **rente viagère** avant le 31 décembre de l'année de vos 71 ans.	Vous pouvez cotiser en tout temps et retirer des sommes quand bon vous semble.
Montant maximal	18 % du revenu gagné l'année précédente jusqu'à un maximum établi par le gouvernement.	De 2009 à 2012, c'était 5000 $ par année. En 2013, c'était 5500 $[1].
Retraits	Vous pouvez retirer des sommes quand bon vous semble et vous payez l'impôt nécessaire.	Vous pouvez retirer des sommes quand bon vous semble, le montant que vous voulez, vous n'avez pas d'autres impôts à payer. Cependant, si vous investissez le maximum et vous retirez des sommes dans la même année, vous ne pouvez plus déposer de dollars supplémentaires dans votre CELI cette année-là, puisque le montant des cotisations est fixé à 5500 $ (pour 2013).

Un exemple :

1er mars 2010 : Omar investit 2000 $ dans son CELI.

1er juin 2010 : Omar investit 3000 $ dans son CELI, il atteint son maximum pour l'année.

15 septembre 2010 : Omar retire 4000 $ de son CELI.

Peut-il réinvestir un mois plus tard les 4000 $ retirés ? Non, puisqu'il a déposé 5000 $ en deux dépôts en 2010, atteignant ainsi la limite maximale annuelle d'investissement dans un CELI de 5000 $. Il pourra reprendre son droit de dépôt de 4000 $ l'année suivante, lequel s'ajoutera au droit maximal pour l'année, qui est de 5000 $ en 2011.

Un autre exemple :

> 6 février 2011 : Claudine investit 3000 $ dans son CELI.

> 6 février 2012 : Claudine investit 7000 $ dans son CELI.

Pourquoi est-ce possible ? Claudine a pu dépasser la limite de 5000 $ pour 2012 parce qu'elle s'est servie d'un droit non utilisé dans le passé. Dans ce cas-ci, elle n'avait pas disposé de tout le montant de 5000 $ pour 2011 en ne déposant que 3000 $. Elle pouvait donc reporter un droit de 2000 $ sur les années suivantes.

DU REER AU FERR : QUELLES SONT LES RÈGLES ?

Le REER et le FERR sont deux boîtes dans lesquelles se trouvent vos placements. On n'investit pas dans un REER, on y place ses épargnes dans le but de profiter de l'avantage fiscal qu'il accorde. Un REER, c'est un régime enregistré d'épargne-retraite, c'est un **abri fiscal** qui permet à vos placements de croître sans payer d'impôt jusqu'au retrait. C'est à ce moment-là que vous verserez les sommes requises en impôts sur l'argent que vous avez investi et sur l'intérêt généré[2].

Le FERR, c'est un fonds enregistré de revenu de retraite. Cette boîte-là n'est pas vouée à l'épargne comme le REER, mais à l'organisation des retraits pour ajouter aux revenus de retraite que sont la rente de la RRQ (la Régie des rentes du Québec) ou du RPC (le Régime de pensions du Canada ou « **pension de vieillesse** ») et, dans certains cas, les **prestations** d'un régime d'employeur. Le FERR est la suite du REER. Il est composé des sommes qui se trouvaient dans un REER et qui ont été transférées au plus tard dans l'année de vos 71 ans (selon la norme de 2013). L'argent peut aussi provenir d'un régime de pension agréé ou d'un autre FERR[3].

Voici quelques règles du REER :

- vous pouvez cotiser à un REER en tout temps : pour l'année en cours, vous pouvez déposer de l'argent dans votre REER du 1er janvier jusqu'à 60 jours après la fin de l'année ;
- le maximum que vous pouvez mettre dans un REER chaque année, c'est 18 % du revenu gagné l'année précédente jusqu'à un maximum établi par le gouvernement annuellement ;
- si vous n'avez pas utilisé le montant maximum de ce qui est permis de placer dans un REER, vous pouvez reporter les « droits » REER non utilisés sur les années suivantes ;
- vous pouvez déduire vos **cotisations** REER de vos revenus d'emploi de l'année, mais pas de vos revenus de placement (sauf les revenus locatifs)[4] ;

- lorsque vous retirez de l'argent de votre REER, vous devez payer l'impôt sur ce qui est considéré comme un revenu, ainsi que sur l'intérêt obtenu.

Voici quelques règles du FERR :

- vous pouvez ouvrir un FERR pour y transférer vos épargnes en REER à n'importe quel moment avant le 31 décembre de l'année de vos 71 ans (selon la norme de 2013) ;
- vous ne pouvez pas effectuer de cotisations ;
- vous pouvez faire des retraits mensuels, trimestriels, semestriels ou annuels ;
- vous devez retirer un minimum prévu par la loi tous les ans :

Âge en début d'année	Retrait minimal en pourcentage du solde
71 ans	7,38 %
72 ans	7,48 %
73 ans	7,59 %
...	
80 ans	8,75 %
...	
90 ans	13,62 %[5]

QUELLES SONT LES DIFFÉRENCES ENTRE LES RÉGIMES À PRESTATIONS ET À COTISATIONS DÉTERMINÉES?

Une **prestation**, c'est une somme que vous recevez à la retraite. Une **cotisation**, c'est le montant que vous déposez à chaque paie dans votre régime de retraite.

Dans un régime à prestations déterminées, la somme que vous allez toucher à la retraite est fixée à l'avance. Vous cotisez à votre régime en fonction des critères de solvabilité en vigueur et vous connaissez la valeur de ce que vous allez toucher à la retraite. Pour tous ceux qui ont des régimes de retraite, c'est le plus répandu.

Dans un régime à cotisations déterminées, c'est la somme que vous versez à votre régime qui est fixée à l'avance. Cette somme, vous la connaissez. Ce que vous ne connaissez pas, c'est le niveau de la prestation que vous toucherez à la retraite. On accumule au fil du temps les cotisations des employés et des employeurs et, aux retraités, on distribue les prestations en fonction des sommes disponibles dans le compte du régime. Ce type de régime est souvent offert aux nouveaux travailleurs dans les entreprises.

Les régimes à prestations déterminées assurent aux retraités et futurs retraités de toucher une prestation qui est garantie. Un travailleur va cotiser chaque année à son régime de retraite et il est prévu généralement qu'un pourcentage de ce montant, multiplié par le nombre d'années de service, lui sera versé à la retraite. La seule chose qui peut remettre en cause la garantie de prestation, c'est une restructuration de l'entreprise à l'abri de la Loi sur les arrangements avec les créanciers, une **faillite** ou une fermeture. Dans ces cas-là, la prestation sera déterminée en fonction de la capitalisation du régime de retraite à ce moment. Si le régime possède 70 % des sommes requises pour respecter ses obligations futures, il n'y a plus de chances de le renflouer et les retraités, comme les futurs retraités, verront leur prestation diminuer. Cela dit, le régime de retraite n'appartient pas à l'entreprise, et celle-ci ne peut pas utiliser les sommes se trouvant dans le compte pour rembourser ses créanciers[6].

Les régimes de retraite, c'est une question clé de notre époque. Pendant la seconde moitié du 20e siècle, les syndicats, les gouvernements et les entreprises ont travaillé à bâtir une structure ayant pour objectif de mieux protéger les travailleurs et leurs familles, et leur permettre de vivre une retraite plus confortable.

Malheureusement, cet objectif n'a pas été atteint pour une majorité de gens. Environ la moitié des aînés vivent dans une relative pauvreté. Le tiers des gens n'ont pas d'épargnes. Surtout, près des deux tiers des travailleurs québécois (61 %) n'ont pas de régime à prestations ou à cotisations déterminées. Seulement 35 % ont des régimes à prestations déterminées, la majorité dans le secteur public[7].

Aujourd'hui, l'avenir des régimes à prestations déterminées est en jeu. Les entreprises ne se sentent plus aussi engagées dans la retraite de leurs employés. Selon le comité présidé par M. Alban D'Amours, qui a publié un rapport important sur la question des retraites en 2013, ce constat est inquiétant : « Une partie grandissante des travailleurs – et notamment les plus jeunes travailleurs – sont ainsi privés d'un régime assurant une véritable sécurité financière, avec le remplacement des régimes à prestations déterminées par les régimes à cotisations déterminées et les plans d'épargne personnelle. Bien sûr, ces régimes constituent une manière d'épargner pour la retraite. Cependant, ils procurent des **rendements** nets moindres et ne comportent aucune promesse de rente. Les régimes à prestations déterminées offrent une meilleure protection, et cela à meilleur coût[8]. »

Socialement, privilégier les régimes à cotisations déterminées au détriment des régimes à prestations déterminées, c'est augmenter le risque d'une couverture moins grande des revenus pour les futurs retraités. Si un tel risque se réalisait, la croissance économique en souffrirait et il faudrait davantage de soutien public. L'équation n'est pas simple.

QU'EST-CE QUE LE SUPPLÉMENT
DE REVENU GARANTI (SRG) ?

Environ la moitié des aînés ont besoin du Supplément de revenu garanti (SRG) au Québec[9]. Cette seule constatation nous indique qu'un bon nombre de personnes âgées vieillissent dans la pauvreté. Cela nous rappelle aussi que les **prestations** gouvernementales pour la retraite ne représentent qu'un minimum pour vivre de vieux jours confortables et qu'il faut trouver d'autres revenus pour bien vivre.

Le Supplément de revenu garanti est versé mensuellement par le gouvernement du Canada aux personnes à faibles revenus à partir de l'âge de 65 ans[10] – en ajout à la **pension de vieillesse**. C'est un revenu qui n'est pas imposable et qui est indexé au coût de la vie quatre fois par année.

En 2013, le SRG était versé aux personnes touchant moins de 16 560 $ par année – en excluant la pension et les premiers 3500 $ de revenus d'emploi – et aux ménages touchant moins de 21 888 $ pour un couple où les deux personnes sont bénéficiaires du Supplément de revenu garanti.

PRESTATIONS FÉDÉRALES POUR
LES PERSONNES DE 65 ANS ET PLUS (2013)[11]

Pension de vieillesse	549,89 $ maximum par mois
Supplément de revenu garanti	745,62 $ maximum par mois
Total par mois	1295,51 $ maximum
Total annuel	15 546,12 $ maximum

Au total, 568 000 personnes ont reçu de l'argent du SRG au Québec en décembre 2012. De plus, 28 000 personnes ont reçu l'Allocation pour les personnes âgées de 60 à 64 ans, une prestation versée au conjoint en vertu du programme de SRG[12].

Comme pour la pension, il faut s'inscrire au programme de SRG pour recevoir des prestations. Il faut en faire la demande en téléphonant au gouvernement fédéral (1 800 277-9915) ou lors de la production de votre déclaration de revenus.

Le calcul du SRG tient compte de trois principaux facteurs :

Votre âge	Avez-vous 65 ans ?
Votre état civil	Célibataire, en couple, veuf[13] ?
Votre revenu	Revenus d'emploi ou d'assurance-emploi
	Rentes (RPC ou RRQ)
	Prestations d'un régime de retraite
	Placements, biens locatifs
	Indemnisations, pensions alimentaires, etc.[14]

Le Supplément de revenu garanti est essentiel à des millions de Canadiens. Mais, comme le calculaient les experts du comité D'Amours, le niveau de remplacement d'un salaire moyen de 40 000 $ aujourd'hui par les rentes publiques, la pension et le SRG est appelé à chuter. « En raison des modalités d'indexation du régime de base fédéral, écrivent-ils, le niveau de remplacement du revenu lors de la retraite sera passé en 40 ans de 51 % à 38 %[15]. »

LA MÉTÉO INFLUE-T-ELLE SUR L'ACHAT D'UNE VOITURE?

Vous avez lu tous les guides d'achat d'automobiles. Vous avez passé des heures sur les sites Internet des différents constructeurs. Vous êtes même allé jusqu'à consulter votre beau-frère! On peut dire que vous avez fait vos devoirs. Et vous êtes prêt à foncer chez le concessionnaire pour acheter LE véhicule tant convoité.

Mais, attendez : avez-vous consulté la météo?

Une étude du National Bureau of Economic Research (NBER) démontre que le temps qu'il fait influe sur votre décision d'achat d'une voiture ou d'une maison[16]. S'il fait 30 degrés en plein mois de juillet, il y a de fortes chances que vous n'achetiez pas la même auto ou que vous n'ayez pas les mêmes exigences que si vous faites votre acquisition à – 20 degrés en février.

Il neige? Vous aurez tendance à choisir une traction intégrale. Il fait un froid glacial? Vous aurez tendance à jeter votre dévolu sur une voiture noire ou encore sur un véhicule utilitaire sport. Il fait beau, magnifique soleil, et vous cherchez une maison? Attention! vous serez tenté par la belle demeure au bout de la rue avec une piscine. Pourtant, ce n'était pas un critère décisif pour vous. Mais, il faisait si beau...

C'est un phénomène économique fréquent, mais peu documenté : les consommateurs ont tendance à agir et à réagir, même pour des décisions aussi importantes que l'achat d'une auto ou d'une maison, en fonction des conditions météo présentes.

Pourtant, on le sait : acheter un modèle d'auto plus qu'un autre parce qu'il fait très beau, c'est comme aller à l'épicerie le ventre vide : vous allez revenir à la maison avec un peu trop de tout!

Après avoir recensé 40 millions de ventes de voitures neuves et d'occasion et quatre millions de ventes sur le marché immobilier aux États-Unis pendant une décennie, les auteurs de l'étude ont trouvé des relations stupéfiantes :

1. une augmentation de la température de 11 degrés Celsius au début de l'été amène une hausse de 8,5 % des ventes de cabriolets ;

2. en revanche, le beau temps provoque une réduction de 2 % des ventes de voitures foncées ;

3. on assiste à une hausse de 6 % des ventes de voitures à traction intégrale deux ou trois semaines après une chute de neige de plus de 25 cm ;

4. les maisons avec piscine mises sur le marché dans les mois d'été se vendent à un prix supérieur de 3500 $ (sur un prix de vente moyen de 400 000 $) par rapport aux mois d'hiver.

Alors, que faire ? Devriez-vous sortir votre manteau d'hiver au mois de juillet pour aller acheter votre prochaine auto ? Ou encore, aller magasiner en maillot de bain un beau samedi de février ?

CHAPITRE 3

LES (MAUDITES!) TAXES ET LES IMPÔTS

OU JUSQU'À QUEL POINT AIMEZ-VOUS
LES DÉCLARATIONS DE REVENUS?

LES PLUS RICHES PAIENT-ILS
TOUS LEURS IMPÔTS ?
QUELLE PART PAIENT-ILS ?

Dans la mouvance du mouvement Occupy Wall Street en 2012, les questions liées à la redistribution de la richesse ont refait surface. Les écarts de revenus se sont-ils creusés ? Chacun paie-t-il sa juste part ? Les plus riches s'acquittent-ils vraiment de leurs charges fiscales ? Ou profitent-ils au maximum du système pour éviter de payer leurs impôts ?

Si on se fie aux derniers chiffres du fisc québécois, l'impôt sur le revenu des particuliers s'est établi à 20 milliards de dollars en 2013. Cette somme couvre à peine le quart des dépenses du gouvernement. L'impôt sur le revenu ne couvre pas les dépenses en santé (30 milliards de dollars), mais suffit à éponger les investissements nécessaires en éducation (18 milliards de dollars). Évidemment, le gouvernement tire également des revenus d'autres assiettes fiscales comme l'impôt des sociétés et la TVQ.

Mais comment les impôts sont-ils répartis entre les différentes catégories de revenus ? Selon Statistique Canada, l'écart entre les riches et les pauvres au Québec est passé de 7,8 en 1976 à 9,2 en 2011[1]. Autrement dit, les riches gagnent 9,2 fois la rémunération moyenne des moins nantis.

En réalité, lorsqu'on fait la synthèse des différentes mesures de disparités de revenus, on constate que les écarts de richesse ont légèrement augmenté depuis 30 ans.

Mais, ceux qui font partie des 1 % les plus riches et qui s'enrichissent rapidement, paient-ils leur juste part ? Les statistiques officielles du gouvernement du Québec nous apprennent que ceux qui gagnaient plus de 100 000 $ par année ne représentaient que 4 % des contribuables en 2010, mais payaient 35 % des impôts perçus par Québec. Ces gens n'obtiennent que 2 % de tous les crédits d'impôt remboursables. Les contribuables québécois gagnant moins de 50 000 $ obtiennent 86 % de tous ces crédits.

Revenus annuels	Part des contribuables	Part de l'impôt payé	Part du revenu total
Non imposables	37 %	0 %	11,5 %
Moins de 100 000 $	59 %	65 %	66,5 %
Plus de 100 000 $	4 %	35 %	22 %

Voici les taux d'imposition les plus élevés au Québec et au Canada (2013) :

- pour les revenus dépassant 135 054 $, le taux fédéral pour le Québec est de 24,2 % ;
- pour les revenus dépassant 100 000 $, le taux provincial est de 25,75 % ;
- le taux marginal pour les revenus dépassant 135 054 $ est de 49,97 %[2].

Dans les statistiques fiscales des particuliers de Revenu Québec en 2010, il y avait 37 680 contribuables qui déclaraient des revenus de 250 000 $ et plus. Leur taux effectif d'imposition, c'est-à-dire les impôts et les cotisations à payer par rapport au revenu total : 15,6 %, soit moins que le premier taux d'imposition au Québec, qui est de 16 %. Pourquoi ? Parce que les revenus sont multiples et que leur imposition diffère : un revenu d'emploi est plus taxé qu'un gain en capital ou un dividende, par exemple. Les stratégies fiscales comptables ont permis d'ailleurs à 374 contribuables gagnant plus de 250 000 $ de ne pas payer un cent en impôt au Québec en 2010[3].

Le régime fiscal québécois demeure relativement progressif, bien que le nombre de taux d'imposition soit passé de 10 à 3 des années 80 à aujourd'hui. Le gouvernement Marois a ajouté un quatrième palier d'imposition à son arrivée au pouvoir, en 2012.

Les riches devraient-ils être imposés davantage ? Ou devraient-ils être « mieux » imposés ? Certains sont d'avis qu'il faudrait revoir la taxation du gain en capital et explorer la possibilité de taxer le patrimoine. Mais, étant donné que le Québec fait partie des pays en Amérique du Nord où les impôts sont les plus élevés, il y a fort à parier qu'une réforme fiscale serait plus efficace si elle était réalisée en collaboration avec les voisins.

QU'EST-CE QU'UN CRÉDIT D'IMPÔT ?

Les gouvernements accordent de nombreux incitatifs fiscaux aux contribuables – tant aux entreprises qu'aux particuliers – qui, parfois, prennent la forme d'un crédit d'impôt. Comment ça marche ?

Les pouvoirs publics disposent en effet de nombreux outils fiscaux pour soutenir une activité ou la rendre plus attrayante et ainsi susciter des investissements dans un secteur ou dans des équipements. L'un de ces outils, c'est le crédit d'impôt.

Prenons un exemple : le gouvernement octroie aux PME un crédit d'impôt de 20 % sur un achat d'équipement de 1000 $. La valeur du crédit, c'est 20 % de 1000 $: 200 $. Ainsi, au moment de la déclaration de revenus, le gestionnaire de la PME soustrait 200 $ du total des revenus, ce qui vient ainsi réduire l'impôt à payer.

Le crédit d'impôt est souvent utilisé parce qu'il est imputé directement sur le montant de l'impôt sur le revenu exigé de l'individu ou de l'entreprise. C'est une formule simple, efficace, très prisée par les gouvernements, les sociétés et les particuliers.

En outre, si le montant du crédit dépasse celui de l'impôt dû, l'excédent est restitué au contribuable par le **fisc**. Au Québec, on a des **crédits d'impôt remboursables** et des **crédits d'impôt non remboursables**. Le premier est un crédit dont on bénéficie même si on ne paie pas d'impôt. Le second, est un montant qui réduit notre impôt à payer, mais on n'y a pas droit si on ne paie pas d'impôts.

Au Québec, il y a 25 différents crédits remboursables et 21 crédits non remboursables dont les individus peuvent se prévaloir. La liste est présentée dans les deux tableaux suivants.

Crédits d'impôt remboursables
Acquisition d'installations de traitement de lisier de porc
Acquisition ou location d'un véhicule neuf écoénergétique
Aidant naturel
Athlète de haut niveau
Chauffeur ou propriétaire de taxi
Déclaration des pourboires
Frais d'adoption
Frais de garde d'enfants
Frais engagés par un aîné pour maintenir son autonomie
Frais médicaux
Impôt payé par une fiducie pour l'environnement
Maintien à domicile d'une personne âgée
Prime au travail
Prime au travail adapté
Recherche scientifique et développement expérimental
Relève bénévole
Remboursement de prestations
Remboursement de taxes foncières accordé aux producteurs forestiers
Remboursement de TVQ à un salarié ou à un membre d'une société de personnes
Répit à un aidant naturel
Revenu provenant d'une rente d'étalement pour artiste
Solidarité
Stage en milieu de travail
Supplément à la prime au travail
Traitement de l'infertilité

Source : Revenu Québec

Crédits d'impôt non remboursables
Accordé en raison de l'âge
Acquisition d'actions de Capital régional et coopératif Desjardins
Bénéficiaire d'une fiducie désignée
Contribution à des partis politiques autorisés du Québec
Cotisations syndicales, professionnelles ou autres
Déficience grave et prolongée des fonctions mentales ou physiques
Dividendes
Dons
Enfant aux études post-secondaires
Fonds de travailleurs
Frais de scolarité ou d'examen
Frais médicaux
Impôt étranger
Intérêts payés sur un prêt étudiant
Nouveau diplômé travaillant dans une région ressource éloignée
Personne vivant seule
Personnes à charge
Pompier volontaire
Revenus de retraite
Soins médicaux non dispensés dans votre région
Travailleur de 65 ans ou plus

Source : Revenu Québec

Au fédéral, il y a une trentaine de crédits d'impôt personnels.

Les entreprises ont aussi leur système de crédits d'impôt. Au Québec, ils touchent des secteurs aussi variés que le commerce électronique, la recherche et développement et la culture. Au total, on en compte une soixantaine. Le nombre de crédits d'impôt fédéraux touchant les entreprises est moindre, soit environ une quinzaine.

Il est difficile de porter un jugement éclairé sur l'efficacité de ces crédits d'impôt. Il faut y aller cas par cas en comparant les objectifs poursuivis aux résultats obtenus. Vous comprendrez que ce n'est pas une mince affaire, car si les coûts pour le fisc sont généralement faciles à trouver dans les budgets des gouvernements, les bénéfices générés par ces mesures sont rarement évalués.

Ceci dit, il y a un de ces crédits qui a été évalué récemment : c'est le crédit d'impôt fédéral pour la recherche et développement. Ce crédit procure une réduction de la base fiscale imposable (qu'on appelle l'abattement fiscal) de 20 % des dépenses admissibles pour les grandes entreprises et de 35 % pour les PME. Au Québec, le crédit provincial varie entre 17,5 % et 37,5 % selon la taille de l'entreprise.

Or, une étude de l'Université de Calgary a démontré que ce crédit était coûteux pour le fisc, ne générait pas les bénéfices escomptés et qu'il n'était pas efficace[4]. C'est ce qui a motivé le gouvernement fédéral, en 2012, à diminuer la générosité du crédit d'impôt et à offrir davantage de soutien public direct pour la recherche par l'intermédiaire d'un fonds spécial de 400 millions de dollars pour le capital de risque.

POURQUOI 40 % DES GENS
NE PAIENT-ILS PAS D'IMPÔTS ?

La réponse est simple : dans la très grande majorité des cas, si vous ne payez pas d'impôts, c'est que vous ne faites pas assez d'argent, que vos revenus ne sont pas assez élevés. Près de 40 % des contribuables québécois, soit environ 2,5 millions de personnes, ne font pas 20 000 $ par année. Qui plus est, autour de 80 % – près de cinq millions de contribuables – gagnent moins de 50 000 $.

Selon les dernières données fiscales fournies par le ministère des Finances du Québec[5], c'est un peu moins de 40 % des contribuables qui ne paient pas d'impôts.

Nombre de contribuables – Québec 2010 (chiffres arrondis)		
	Nombre	Proportion
Contribuables imposables	3 963 000	63 %
Contribuables non imposables	2 345 000	37 %
Total	6 307 000	100 %

De tous les contribuables non imposables, près de 9 sur 10 gagnent moins de 20 000 $ par année.

Contribuables non imposables – Québec 2010 (chiffres arrondis)		
Revenus	Nombre	Proportion
Moins de 10 000 $	1 027 000	43,8 %
10 000 $ à 19 999 $	1 054 000	45 %
20 000 $ à 29 999 $	194 000	8,3 %
30 000 $ à 49 999 $	57 000	2,4 %
50 000 $ à 99 999 $	10 000	0,4 %
100 000 $ et plus	3 000	0,1 %

près de 9 sur 10

Le ministère des Finances précise que le revenu imposable, c'est le revenu total après les déductions disponibles pour les contribuables. Pourquoi ? Parce que les déductions viennent réduire le revenu déclaré. Les déductions sont des dépenses faites dans le cadre de votre travail, ce qui touche essentiellement les travailleurs autonomes. Ce sont aussi les déductions disponibles pour épargner, comme les investissements dans un REER (voir page 42). C'est grâce notamment à ces déductions que des contribuables gagnant plus que le salaire moyen peuvent se retrouver dans la catégorie « non imposable ».

Il y a aussi les crédits d'impôt. Les **crédits non remboursables** s'appliqueront seulement si vous payez de l'impôt. Les **crédits remboursables** (comme le Soutien aux enfants ou la Prime au travail) sont disponibles même s'ils dépassent l'impôt total à payer.

Si près de 40 % des contribuables ne paient pas d'impôts, il faut savoir qu'au Québec les plus riches en paient plus que dans la plupart des autres provinces et que dans la majorité des États des États-Unis. Il faut dire qu'en revanche ils touchent une plus grande part des revenus. Ainsi, les gens qui gagnent moins de 20 000 $ par année (38,9 %) ne touchent que 10,8 % du revenu total. Les gens qui ont des revenus de 100 000 $ et plus par année (4,4 %) touchent 22 % du revenu total.

QU'EST-CE QUE L'ÉVASION FISCALE, L'ÉVITEMENT FISCAL ET UN PARADIS FISCAL ?

Ces trois concepts sont différents mais ont tous le même but : payer moins d'impôt. Allons-y simplement.

L'évasion fiscale, c'est de ne pas déclarer des revenus au fisc. Ces sommes proviennent généralement d'activités de corruption ou du crime. Le travail au noir, c'est de l'évasion fiscale. Le blanchiment d'argent, c'est de l'évasion fiscale. Tout ça est, bien sûr, totalement illégal.

L'évitement fiscal consiste à trouver des moyens fiscaux légaux pour éviter de payer une partie de son impôt. C'est légal, mais l'esprit de la loi n'est pas respecté. Des multinationales comme Google, Apple, Facebook et GE déclarent des revenus enregistrés dans un pays ailleurs dans le monde, là où les taux d'impôt sont moins élevés, en Irlande ou aux îles Caïmans notamment. Washington dénonce aussi le fait qu'une grande part des bénéfices mondiaux ne sont jamais rapatriés aux États-Unis et ne sont pas taxés à 35 % comme prévu par la loi[6].

Le paradis fiscal est un territoire où les taux d'imposition sont extrêmement bas ou nuls, la régulation très faible et le niveau de secret élevé.

Plusieurs évaluations sont faites des sommes investies dans les paradis fiscaux, mais elles ne sont pas précises et sûres à 100 %. *The Economist* évoque une estimation de 20 000 milliards de dollars américains cachés dans les paradis fiscaux. On compterait de 50 à 60 paradis fiscaux sur la planète. Plus de deux millions d'entreprises y sont présentes, ainsi que des milliers de banques, fonds et assureurs[7].

La « mère » des paradis fiscaux, c'est la Suisse, suivie des îles Caïmans où sont domiciliés quatre fonds spéculatifs sur 10[8]. Viennent ensuite le Luxembourg, Hong Kong et même les États-Unis en raison de la fiscalité très accommodante de l'État du Delaware[9].

Des milliers de Canadiens et des entreprises, dont plusieurs **banques à charte**, déclarent ou cachent leurs revenus dans les paradis fiscaux. Des enquêtes journalistiques de grande ampleur ont mené à des révélations majeures dans les dernières années, qui touchent entre autres des Canadiens. Le Consortium indépendant des journalistes d'investigation a retrouvé les transactions de plus de 100 000 personnes dans le monde effectuées dans les paradis fiscaux, dont celles de 450 Canadiens[10].

Le gouvernement du Canada a intensifié, dans les dernières années, sa lutte à l'évasion fiscale et à l'évitement fiscal. Il veut notamment obliger les banques à déclarer à l'Agence du revenu tous les transferts internationaux de fonds par voie électronique de 10 000 $ canadiens et plus. Ottawa a aussi conclu des ententes avec plusieurs pays réputés paradis fiscaux afin de permettre des échanges d'informations. Ces ententes ont pour objectif de permettre au Canada d'obtenir plus de renseignements sur ses citoyens qui déclarent des revenus dans les paradis fiscaux. En retour, toutefois, la double taxation est éliminée : autrement dit, les revenus d'un citoyen ou d'une entreprise n'ont plus à être taxés lorsqu'ils sont transférés d'un paradis fiscal vers le Canada.

Pour qu'il y ait évasion fiscale ou évitement fiscal, on n'a pas nécessairement besoin d'un paradis fiscal. Toutefois, leur existence entraîne des déséquilibres fiscaux majeurs, partout dans le monde. De grandes fortunes et d'importantes entreprises, qui devraient normalement payer leurs impôts dans leur pays d'origine, ont la possibilité de le faire ailleurs, là où les charges fiscales sont extrêmement faibles. Ces actes réduisent les revenus des gouvernements et augmentent les écarts de richesse et les inégalités sociales. Pour le Québec seulement, le ministère des Finances évaluait, en 2005, les pertes associées à l'évasion fiscale à 5 % du **produit intérieur brut (PIB)**[11].

QU'EST-CE QUE LE REVENU MOYEN ?

Voici trois chiffres : 2, 7 et 9. Quelle est la moyenne ? Facile, direz-vous, mais permettez qu'on commence ici par un petit rappel. Si vous voulez calculer la moyenne de 2, 7 et 9, il vous suffit de faire l'équation 2 + 7 + 9 = 18 divisé par le nombre de chiffres dans l'addition, soit trois dans notre exemple. Donc, 18/3 = 6. La moyenne des trois chiffres est 6.

Ainsi, si on vous parle du **revenu moyen** des Québécois ou des Canadiens, il faut additionner tous les revenus gagnés par les personnes en question et diviser le total par le nombre de personnes. C'est une mesure fiable de ce que gagnent le Québécois et le Canadien moyen si tous les revenus sont distribués de façon symétrique. Autrement dit, on a alors une belle « cloche » et on a à peu près autant de personnes à gauche de la moyenne qu'à droite, comme le montre ce graphique.

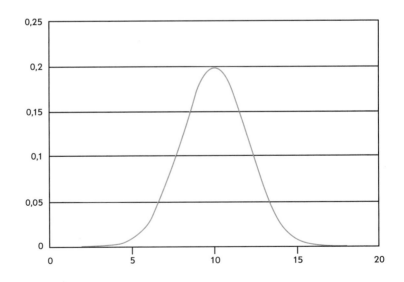

Cependant, la mesure du revenu moyen peut nous induire en erreur si, par exemple, on a une grande proportion d'individus qui ont de faibles revenus, car ils travaillent à temps partiel. Dans ce cas, la cloche ne sera pas symétrique (il y aura beaucoup plus de personnes à gauche) et le revenu moyen sera surestimé.

C'est la raison pour laquelle on utilise souvent le « **revenu médian** » au lieu du « revenu moyen » pour avoir une meilleure représentation de la moyenne des revenus. Le revenu médian sépare tous les revenus en deux parties égales : 50 % des travailleurs à gauche du revenu médian, 50 % des travailleurs à droite du revenu médian. Ainsi, d'après les derniers chiffres de l'Enquête nationale de Statistique Canada auprès des ménages, le revenu familial médian avant impôt était de 68 000 $ au Québec et de 76 000 $ au Canada en 2010. Il a augmenté un peu moins rapidement au Québec qu'ailleurs au pays. Pour les personnes seules, le revenu médian avant impôt était de 28 000 $ au Québec et de 30 000 $ au Canada.

Quant à la tranche des 1 % les plus riches au pays, selon ces chiffres, ils devaient gagner plus de 191 000 $ par année pour figurer dans ce club sélect. Ils étaient 272 600 sur cette liste en 2011. Disposant d'un revenu moyen de 381 300 $, ils gagnaient 10 fois plus que le Canadien moyen (38 700 $). Vous comprendrez qu'ici on ne parle plus de « revenu moyen », mais de personnes « en moyens » !

POURQUOI MA VOITURE, ACHETÉE AU CANADA, COÛTE-T-ELLE PLUS CHER QU'AUX ÉTATS-UNIS ?

La grande majorité des Canadiens vivent à moins d'une heure de la frontière américaine. Et plusieurs d'entre eux n'hésitent pas un seul instant à voyager aux États-Unis pour faire certains achats. Pourquoi ? Parce que c'est moins cher.

Voici quelques exemples tirés d'une étude effectuée par la BMO[12] :

Articles	Prix au Canada	Prix aux É.-U.	Prix aux É.-U.	Écart
	($ CAN)	($ US)	($ CAN)	en %
Couches	14	10	10	46 %
Chaussures de jogging	170	130	125	36 %
Détecteur de fumée et de CO_2	57	50	48	19 %
Wok en acier inoxydable	300	240	230	30 %
Magazine	6	4	4	56 %
Chevrolet Volt	38 550	34 995	33 595	15 %
Caméra Canon	200	180	173	16 %
Haut-parleurs Bose	380	350	336	13 %
iPad mini	329	329	316	4 %
1 $ CAN = 0,96 $ US				

Les couches de votre chérubin qui vous coûtent 14 $ au Canada ne vous coûteraient que 10 $ aux États-Unis, une fois leur prix converti en dollars canadiens. Cela représente une différence de prix de 46 %. Le tableau présente plusieurs exemples variés, mais la conclusion demeure toujours la même : on paie toujours plus cher ici.

Pourtant, selon la Banque du Canada, bien que des écarts de prix soient indéniables, ceux-ci ont eu tendance à s'amenuiser depuis quelques années, passant d'un écart général de 20 % en 2007, lorsque notre huard est revenu à la parité avec le dollar américain, à 9 % à la fin de 2013[13].

Alors, pour revenir à la question d'origine, pourquoi est-ce plus cher pour une voiture ? Et pourquoi est-ce ainsi même lorsque le dollar canadien est à parité avec le dollar américain ?

Il y a plusieurs choses à considérer :

1. les devises ;
2. les taxes ;
3. les tarifs ;
4. les frais de transport ;
5. le marché et l'impact sur la concurrence ;
6. la négociation ;
7. la demande.

D'après James Brander, professeur d'économie à l'Université de la Colombie-Britannique, les Américains seraient plus persuasifs que les Canadiens dans le processus de négociations.

Il semble que, selon les périodes, la différence de prix est tributaire d'une macédoine de petits facteurs : le taux de change, le pouvoir de négociation et les différences entre les taxes de vente.

Les constructeurs automobiles savent qu'ils ont avantage à tirer profit des désirs des consommateurs à vouloir acquérir l'objet de leur convoitise à tout prix. Ainsi, si GM constate que les Canadiens aiment davantage les fourgonnettes que les consommateurs américains, il établira son prix canadien à un niveau plus élevé que son prix américain. GM « sait » qu'à cause de préférences marquées pour ce type de véhicule, il peut se permettre de fixer un prix un peu plus élevé sans risquer une baisse de la demande. C'est ce qu'on appelle, en économie, « établir un prix différencié selon la segmentation des marchés ».

Le produit est le même, mais la demande des consommateurs, elle, n'est pas la même. La grille de prix est établie en conséquence. De plus, le fait que le Canada est un plus petit marché diminue les forces de la concurrence par rapport aux États-Unis.

Le jour où il y aura suffisamment de Canadiens qui iront magasiner aux États-Unis, les marchands canadiens baisseront-ils enfin leurs prix ?

PÉRÉQUATION : L'ALBERTA PAIE-T-ELLE POUR LE QUÉBEC ?

On lit souvent cette phrase dans les médias ou on l'entend souvent dans la bouche de nos politiciens : « L'Alberta paie la péréquation du Québec ! »

Mais d'abord, qu'est-ce que la **péréquation** ? C'est un système de transferts qui vise à « donner aux gouvernements provinciaux des revenus suffisants pour leur permettre d'assurer des services publics à un niveau de qualité et de fiscalité sensiblement comparable[14] ». Pour 2013-2014, le montant total de péréquation réparti entre les provinces les moins nanties était de 16,1 milliards de dollars. Près de la moitié de cet argent, soit 7,8 milliards de dollars, a été versée au Québec.

Pour calculer la péréquation, on mesure la capacité des provinces à générer des revenus, ce qu'on appelle la « capacité fiscale ». Le montant de péréquation par habitant d'une province est égal au manque à gagner pour atteindre la capacité fiscale moyenne des 10 provinces.

On calcule d'abord le montant de péréquation par habitant (en orange dans le graphique de la page 68). On établit ensuite une norme qui est égale à environ 7000 $ en 2013-2014. Les provinces ayant une capacité fiscale en deçà de la norme reçoivent des paiements de péréquation (en gris dans le graphique). Les provinces ayant une capacité fiscale au-dessus de ce niveau ne reçoivent pas de péréquation.

La capacité fiscale est calculée par habitant. Pour connaître la somme totale de péréquation d'une province, il faut multiplier le manque à gagner couvert par la péréquation par le nombre de personnes dans la province.

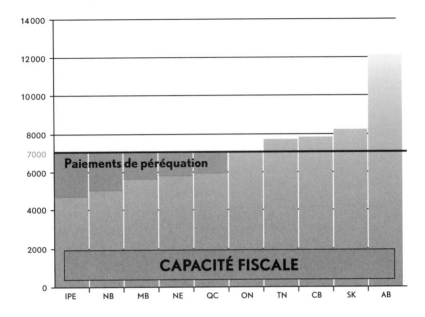

Le tableau suivant montre que si c'est l'Île-du-Prince-Édouard qui reçoit le montant le plus important par personne (2350 $ en 2013-2014), c'est le Québec qui reçoit le versement total le plus élevé en raison de son nombre d'habitants.

2013-2014	Péréquation par personne ($)	Péréquation totale ($)
Île-du-Prince-Édouard	2350	340 millions
Nouveau-Brunswick	1985	1,513 milliard
Nouvelle-Écosse	1342	1,458 milliard
Manitoba	1353	1,792 milliard
Québec	934	7,833 milliards
Ontario	246	3,169 milliards

Pour bien répondre à la question « l'Alberta paie-t-elle pour le Québec ? », la péréquation n'implique pas que les provinces riches fassent un versement aux provinces plus pauvres. Mais, en pratique, c'est ce qui arrive par l'entremise du fisc fédéral. En effet, une fois établi le versement à faire à chaque province, les chèques sont tirés du fonds consolidé du gouvernement fédéral, où sont d'ailleurs versés tous nos impôts et toutes nos taxes. Vous contribuez au fonds consolidé par vos impôts sur le revenu et la TPS payée sur chacun de vos achats tout comme, par exemple, les pharmacies Jean Coutu ou Bombardier y contribuent par l'impôt des sociétés.

On comprend aussi que la péréquation se calcule par personne. Si la riche Alberta contribue généreusement à la péréquation, elle le fait d'abord pour chaque citoyen de l'Île-du-Prince-Édouard, du Nouveau-Brunswick, de la Nouvelle-Écosse et du Manitoba.

Dans le passé, il y avait une grande variation d'une année à l'autre dans les paiements de péréquation. La dernière révision de la méthode de calcul a rendu plus prévisibles les montants à verser. Ainsi, la péréquation augmente en fonction de la croissance du PIB, plus précisément de la **moyenne mobile** de croissance du produit intérieur brut sur trois ans.

Pour une province comme le Québec, pour qui la péréquation représente près de 15 % de ses revenus autonomes, cette plus grande stabilité aide à mieux prévoir les revenus du gouvernement, car toute variation peut avoir des conséquences dramatiques sur ses finances publiques.

POURQUOI LE VIN COÛTE-T-IL PLUS CHER AU QUÉBEC QU'EN ONTARIO ET AUX ÉTATS-UNIS ?

Qui n'a pas été tenté d'aller faire une virée en Ontario pour y acheter quelques bonnes bouteilles de vin ? Vous êtes peut-être aussi de ceux qui ne comprennent pas pourquoi il faut se limiter à deux bouteilles de vin quand on revient d'un voyage aux États-Unis ou en France, là où les prix des vins sont franchement moins élevés qu'au Québec.

Tout d'abord, est-ce vraiment plus cher au Québec ? Selon l'économiste Frédéric Laurin, qui a consacré un livre à ce thème[15], la Société des alcools du Québec (SAQ), une société d'État monopolistique, pratique des prix exagérément élevés des vins et alcools. Pourquoi ?

Pour plusieurs raisons : d'abord la taxe de vente, 8 % en Ontario, 9,975 % au Québec.

Vous devez aussi payer une taxe spécifique sur l'alcool qui s'applique en plus de la TPS et de la TVQ. Au Québec, ces deux dernières se calculent sur le prix incluant la taxe spécifique, ce qui ajoute 1,12 % de plus sur chaque litre (2,47 % si c'est consommé au resto). En Ontario, les taxes sur le vin sont majorées de deux points de pourcentage par rapport à la taxe de vente provinciale. Le taux passe de 8 % à 10 %.

Ce qui semble constituer la plus grande différence, c'est la capacité de la SAQ à maximiser ses revenus sur la gamme complète des prix de ses produits. Comme tout **monopole** qui, par définition, n'a pas de concurrent, la SAQ essaie de tirer le plus de revenus en chargeant le prix maximal en fonction du désir des consommateurs de se procurer du vin à ce prix.

Comment la SAQ connaît-elle le prix maximum possible ? Elle ne le sait pas mais, par essais et erreurs, elle peut en avoir une bonne idée. Supposons que le prix actuel d'une bonne bouteille de Château Fillion (c'est un exemple fictif !) est de 50 $. La SAQ décide d'augmenter le prix de 10 % à 55 $. Si les ventes restaient constantes ou ne diminuaient pas trop, la SAQ saurait alors que son prix n'est pas trop élevé car la plupart des gens continueraient d'acheter du Château Fillion. La SAQ continuerait d'augmenter son prix jusqu'à ce que les ventes du Château Fillion diminuent radicalement. Elle saurait alors que le prix maximum est atteint. La SAQ peut se permettre ce genre de stratégie, car elle n'a pas de concurrent sur son territoire qui la forcerait à garder ses prix plus bas.

Comme la SAQ privilégie les vins de gamme moyenne, c'est sur ce segment qu'elle se concentre et qu'elle maximise ses profits. La majorité des ventes de la SAQ se font pour des bouteilles de vin offertes entre 10 $ et 20 $. Moins de 1 % des 10 000 vins de la SAQ ont un prix inférieur à 10 $. La SAQ ne cache pas sa stratégie[16].

Le tableau suivant figure d'ailleurs dans le rapport annuel 2012-2013 de la SAQ. Une bouteille payée 5,44 $ au fournisseur est vendue dans les magasins à 16,20 $, c'est-à-dire avec une majoration de 7,34 $. Cette dernière somme représente 45 % du prix que vous payez pour la bouteille.

Le prix de vente moyen d'une bouteille à la SAQ est de 15,45 $. Pour toute sa gamme de produits, le profit de la SAQ était de 53 % en 2012-2013.

Répartition du prix de vente		
Vin importé, format 750 ml En dollars et en pourcentage 30 mars 2013		
Majoration	7,34 $	45,3 %
Prix du fournisseur en dollars canadiens incluant le transport	5,44 $	33,6 %
Taxe de vente provinciale	1,40 $	8,6 %
Taxe spécifique versée au gouvernement du Québec	0,84 $	5,2 %
Taxe fédérale sur les produits et services	0,70 $	4,3 %
Droits d'accise et de douane versés au gouvernement du Canada	0,48 $	3,0 %
Prix de vente au détail (la bouteille)	16,20 $	100 %

Il serait légitime de penser qu'un taux de profit moyen de 53 % est exagéré. En présence de concurrents, on pourrait douter fortement de la capacité de la SAQ à établir des prix aussi élevés.

Mais n'oublions pas que l'actionnaire de la SAQ, c'est le gouvernement du Québec, donc c'est vous ! Et bon an, mal an, la société d'État verse un milliard de dollars en revenus dans les coffres du fisc, soit 2 % des revenus du gouvernement.

Un impôt déguisé ? Bien sûr. Et volontaire en plus !

COMBIEN LA MONARCHIE
COÛTE-T-ELLE AUX CANADIENS ?

Le chef de l'État canadien n'est ni le premier ministre ni le gouverneur général, mais bien la reine d'Angleterre. Depuis 1534, le Canada a à sa tête un roi ou une reine, autrefois de la France, aujourd'hui de la Grande-Bretagne. Le Canada est un pays souverain mais demeure une monarchie constitutionnelle. « La Couronne occupe une place centrale dans notre Parlement et notre démocratie », peut-on lire sur le site Web du Parlement. « Elle incarne la pérennité de l'État et constitue le principe organique de son unité institutionnelle[17]. »

L'abandon de la monarchie mènerait à la mise en place de nouvelles structures – on imagine républicaines – et le Canada serait dirigé par un président dont les pouvoirs seraient symboliques ou exécutifs. Nous n'en sommes pas là et rien ne laisse présager un changement prochain.

Il est difficile d'établir le coût exact de ce qui est rattaché au fait de vivre dans une monarchie constitutionnelle. Pour ce faire, il faudrait établir les coûts vraiment associés au régime monarchique de certaines activités parlementaires. Il faudrait aussi calculer ceux associés aux visites royales, aux sanctions demandées à la reine, etc. Il n'y a pas de données factuelles et précises sur ce sujet.

Ce que nous avons, ce sont les **états financiers** du gouverneur général, qui est le représentant de la reine au Canada. Ainsi, en 2012, le financement fourni au gouverneur général s'est élevé à 34 212 192 $. Cela comprend une **encaisse** de près de 22 millions du gouvernement fédéral ainsi que « les services fournis gratuitement par d'autres ministères » évalués à environ 12,5 millions[18]. Le Bureau du secrétaire du gouverneur général rapporte que ses revenus autonomes se sont élevés à 93 389 $ en 2012, revenus provenant de la boutique de souvenirs, des frais d'utilisation des services de l'héraldique (les armoiries) et de revenus divers. Les contrats et les frais de déplacement sont également précisés sur le site du gouverneur général[19].

Ceci dit, la Ligue monarchiste du Canada, un organisme qui fait la promotion de la monarchie au pays, affirme que celle-ci a coûté 50 millions de dollars en 2006-2007. La Ligue inclut les coûts associés aux activités des lieutenants-gouverneurs dans les provinces, qui sont aussi des représentants de la reine. Selon elle, le coût total revient à 1,53 $ par Canadien par année.

Coûts de la monarchie canadienne selon la Ligue monarchiste du Canada 2006-2007	
1,24 $	Gouverneur général
0,29 $	Lieutenants-gouverneurs (0,23 $ par les provinces, 0,06 $ par le fédéral)
1,53 $	Coût total de la monarchie par Canadien par année

DEVRIEZ-VOUS CHOISIR UN SINGE COMME CONSEILLER FINANCIER ?

Il n'y a que deux façons de « battre le marché » à long terme : disposer d'informations privilégiées ou être vraiment chanceux ! Beaucoup de gens pensent que la seconde possibilité est plus probable que la première. Les études économiques montrent qu'ils n'ont probablement pas tort.

Eugene Fama, un des lauréats du prix de la Banque de Suède en économie, le Nobel d'économie 2013, a démontré à l'aide de techniques complexes que la chance, davantage que l'expertise, caractérisait le choix des meilleurs gestionnaires de fonds d'actions et de **fonds communs de placement**. Vraiment ?

Mais est-ce vrai pour les investisseurs individuels, les gens, chez eux, devant leur ordinateur ? Ces gens-là (et vous en êtes peut-être) peuvent réagir plus rapidement que les investisseurs institutionnels, mais négocient chaque fois moins de titres qu'une grosse banque d'affaires. Peuvent-ils « battre le marché » avec un portefeuille de titres individuels soigneusement construit ?

En 1973, un professeur de l'Université Princeton, Burton Malkiel, déclara qu'un singe aux yeux bandés, lançant des fléchettes sur les pages financières d'un journal, pourrait constituer un portefeuille d'actions qui donnerait un aussi bon rendement que celui choisi par un expert[20] ! Affirmation saugrenue, qui en a choqué plusieurs. Mais, tout compte fait, avait-il raison ?

En 1988, le *Wall Street Journal* a voulu tester l'affirmation du professeur Malkiel. Jugeant le cocktail singe et fléchettes peut-être un peu trop dangereux pour la salle de rédaction, le prestigieux journal mit ses journalistes à contribution, les yeux bandés !

Voici comment s'est vécue l'expérience qui s'est déroulée sur plusieurs années. Chaque mois, quatre investisseurs professionnels ont sélectionné chacun une action d'entreprise caractérisée par un fort potentiel. Simultanément, toujours tous les mois, quatre employés du journal ont lancé chacun une fléchette sur les pages boursières du WSJ.

Les huit choix des protagonistes ont été publiés dans le journal et, au bout de six mois, on a révélé qui des investisseurs ou des « chimpanzés à fléchettes » avaient obtenu le meilleur résultat. Croyez-le ou non, ni les experts ni les « chimpanzés » n'ont battu le marché.

Certains analystes ont décortiqué les résultats et ont conclu que l'expérience était biaisée parce que les choix des professionnels avaient été publiés dans le journal et que cela avait eu pour effet de gonfler artificiellement les cours des actions sélectionnées par les experts. En effet, les acheteurs d'actions voulaient croire que les experts étaient... experts.

Il y aura toujours une infime poignée d'investisseurs capables de « battre le marché ». Expertise ou chance ? Des études sérieuses indiquent qu'un résultat supérieur au marché est presque toujours le résultat de la chance.

Aristote Onassis, célèbre armateur grec, disait : « Le secret du succès en affaires, c'est de détenir une information que personne d'autre ne possède. »

Doit-on conclure que votre courtier en valeurs mobilières n'est qu'un vil charlatan ? Que vous devriez vous précipiter au zoo de Granby et louer les services occasionnels d'un « gorille financier », qui pourrait faire presque aussi bien que l'expert mais sans frais ? On n'ira pas jusque-là, quand même !

Mais ce que les études en économie nous enseignent, c'est l'humilité. Si vous savez ce que nous savons et, donc, ce que tout le monde sait en principe, il y a peu de chances que vous soyez capables de « battre le marché ». Par conséquent, l'écart entre les experts, qui travaillent tous à partir de la même information, et les singes qui tirent des fléchettes ne sera jamais très grand.

CHAPITRE 4

L'HONORABLE BANQUE CENTRALE

OU COMMENT LA MACHINE À IMPRIMER DE L'ARGENT FONCTIONNE-T-ELLE ?

QU'EST-CE QU'UN TAUX PRÉFÉRENTIEL ?
ET UN TAUX DIRECTEUR ?

Le taux préférentiel, ce n'est pas nécessairement le taux qu'on préfère parce que, si c'était le cas, il serait à 0 %, n'est-ce pas ? Mais, c'est quand même un taux qui est généralement plus bas que les autres taux en vigueur. Ce n'est pas non plus le taux directeur de la Banque du Canada, mais le lien d'amour, d'affection et de dépendance entre ces deux taux est tissé serré : l'un a toujours un œil sur l'autre !

Grosso modo, le taux directeur de la Banque du Canada, c'est celui qui guide le taux qui devrait s'appliquer dans le marché sur les prêts que se font les banques entre elles tous les jours. En gros, le taux préférentiel, c'est celui que les institutions financières accordent à leurs meilleurs clients, soit les plus solvables.

C'est le taux directeur de la Banque du Canada, qui se trouve être le taux de financement à un jour des banques sur le marché, qui va déterminer l'évolution du taux préférentiel d'une institution financière. Pourquoi ? Tout simplement parce que la banque ou la caisse veulent maintenir leur marge bénéficiaire sur un prêt qu'elles consentent. Si leur coût d'emprunt est plus élevé sur le marché parce que le taux directeur a augmenté, elles augmenteront le taux préférentiel pour leurs clients. Il peut s'appliquer notamment sur un prêt hypothécaire, un prêt étudiant ou une marge de crédit.

Exemple : le taux directeur de la Banque du Canada est à 1 %, le taux préférentiel des institutions financières est à 3 %. Si la Banque du Canada fait passer son taux directeur à 1,25 %, il y a fort à parier que les banques et les caisses fixeront leur taux préférentiel à 3,25 %.

Pour attirer la clientèle, les institutions offrent souvent des escomptes. Exemple : on vous propose un contrat de cinq ans sur un prêt hypothécaire au taux préférentiel moins 0,75 point de pourcentage. Autrement dit, si le taux préférentiel est à 3 %, on vous offre

3 % - 0,75 % = 2,25 %. Ces escomptes sont accordés si les banques jugent qu'elles peuvent se financer à profit dans le marché à court et moyen terme. Si la tendance des taux dans les marchés obligataires est à la hausse, les banques augmenteront leurs taux hypothécaires et réduiront ou annuleront l'escompte sur le taux préférentiel.

Dans les pires jours de la crise financière, à l'automne 2008, on a dit que le crédit était gelé. Les banques hésitaient à prêter de l'argent à cause de l'incertitude financière mondiale. Ce n'était pas un escompte que les banques et les caisses proposaient à ce moment-là, c'était un ajout d'intérêt. Ainsi, on pouvait voir des propositions du genre : taux préférentiel + 0,5 point de pourcentage.

De plus, comme l'explique la Banque du Canada, les décisions annoncées sur le taux directeur « influent sur d'autres taux débiteurs, notamment celui des prêts hypothécaires, ainsi que les taux d'intérêt sur les dépôts, les **certificats de placement garanti** et les autres formes d'**épargne**[1] ».

QU'EST-CE QUE LA « DÉTENTE MONÉTAIRE » ?

Certaines expressions sont incompréhensibles si on ne les explique pas. Quand on est habitué au jargon de la Banque du Canada, l'expression « détente monétaire » n'est pas très complexe. Mais quand on entend cette expression au milieu d'un bulletin de nouvelles à la radio ou à la télé, il y a de quoi se demander quel est le rapport entre la détente et les taux d'intérêt de la Banque du Canada !

En anglais, la Banque du Canada parle de *monetary stimulus*, expression qui dit clairement ce que c'est. La détente monétaire, expression employée également en France, c'est en fait de la stimulation monétaire. Étrange quand même qu'en anglais, le mot choisi invite à l'action alors qu'en français, il évoque davantage l'idée de relâchement ou de répit...

Alors, définissons sérieusement ce qu'est la « détente monétaire ». En période de ralentissement de l'économie, de faible **inflation** ou de **déflation**, la banque centrale utilise les outils qui sont à sa disposition pour faire remonter l'inflation dans sa fourchette cible de 1 % à 3 % avec un objectif de 2 %. L'emploi de ces outils aide à stimuler l'économie. Ainsi, elle va baisser les taux d'intérêt ou les maintenir très bas, comme elle le fait au Canada depuis la crise financière; elle peut aussi créer de la monnaie et injecter de l'argent dans les marchés financiers en achetant des **obligations** gouvernementales, comme la Réserve fédérale américaine l'a fait abondamment. Ce type d'intervention est nommé « **assouplissement quantitatif** ».

Quand les taux remontent, c'est qu'il y a généralement une période de croissance économique. La banque centrale entrera alors dans une phase de resserrement monétaire pour contrôler le niveau d'inflation. Si la croissance économique est forte, les prix auront tendance à monter plus rapidement. Pour éviter une surchauffe de l'économie – des prix qui montent en flèche –, elle augmentera son taux directeur, ce qui aura pour effet, en quelque sorte, de rendre l'argent plus cher.

Le graphique suivant montre l'évolution du taux directeur de la Banque du Canada de 2001 à 2011. On voit clairement qu'une détente monétaire massive s'est amorcée dans la première moitié de 2008, après un resserrement monétaire au début de 2004.

Bref, pour la Banque du Canada, gérer la détente monétaire, ce n'est pas de tout repos !

TAUX DE FINANCEMENT À UN JOUR
DE LA BANQUE DU CANADA

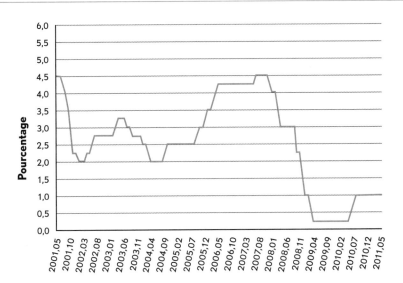

Source : Banque du Canada

QUE SIGNIFIE IMPRIMER DE L'ARGENT ?

Dans le bon vieux temps (avant les cartes de débit), l'expression « imprimer de l'argent » était synonyme de **détente monétaire**. Autrement dit, la banque centrale créait littéralement de la monnaie pour stimuler la consommation et l'économie en général. On injectait de l'argent dans le marché pour qu'il s'en prête et s'en dépense davantage. Et c'était la banque centrale qui se chargeait de la fabrication des billets de banque, de la création monétaire. C'est encore le cas aujourd'hui, mais sous une forme différente. On y reviendra.

Toujours dans le bon vieux temps, faire fonctionner la planche à billets rimait aussi avec ce qu'on appelle l'**hyperinflation**. Trop d'argent dans le marché peut entraîner une hausse des prix très importante. En effet, si les dollars sont abondants, les commerçants vont sentir qu'ils peuvent augmenter leurs prix. Plus d'argent fait augmenter la demande et les dépenses, ce qui fait pression sur la hausse de ses prix.

L'un des exemples les plus frappants de l'hyperinflation dans l'histoire, c'est l'Allemagne dans les années 1920. On a vu des gens, à cette époque, remplir des brouettes de billets de banque pour aller s'acheter une baguette de pain. Les prix avaient tellement augmenté qu'il fallait des tonnes de billets pour acheter des biens de consommation courante. On imprimait alors réellement des billets de banque et on coulait des pièces pour ajouter à la monnaie en circulation dans l'économie.

Aujourd'hui, avec les paiements électroniques, on n'a plus à utiliser une vraie machine qui imprime de vrais billets de papier. La très grande quantité d'argent dans l'économie se déplace sous forme d'écriture comptable et électronique. De nos jours, « imprimer de l'argent » est une expression qui signifie que la banque centrale fait de l'**assouplissement quantitatif**. Depuis la crise financière de 2007-2009, la **Réserve fédérale** des États-Unis a mis en place une politique d'injection monétaire dans le marché des **obligations** et des **bons du Trésor**. Elle alimente ce marché pour que les taux d'intérêt demeurent bas et que les échanges financiers soient fluides et n'entravent pas la croissance économique.

Comment ça marche ? Le gouvernement américain émet des titres de dette, soit des bons du Trésor qui sont rachetés par la banque centrale et revendus sur le marché. L'argent que reçoit le gouvernement en échange est injecté sous différentes formes : des subventions ou des investissements dans de grands projets d'infrastructures.

En 2013, la « planche à billets » de la Réserve fédérale fonctionnait encore jour et nuit. La Réserve fédérale achetait pour 85 milliards de dollars d'obligations et de bons du Trésor tous les mois pour soutenir la reprise économique. L'arrêt des activités gouvernementales pendant deux semaines et les affrontements politiques sur le plafond de la dette ont convaincu les membres de la banque centrale de poursuivre leur intervention massive dans les marchés. À la fin de 2013, la Réserve fédérale a annoncé une réduction progressive de son intervention dans les marchés financiers à partir de janvier 2014.

Pour plusieurs économistes, la Réserve fédérale et le gouvernement des États-Unis en font trop pour stimuler l'économie. Le risque d'une poussée d'inflation demeure, bien que les craintes de déflation semblaient plus importantes au début de 2014. À suivre.

QUELLES SONT LES DIFFÉRENCES ENTRE LA RÉSERVE FÉDÉRALE AMÉRICAINE ET LA BANQUE DU CANADA ?

Fondamentalement, les deux institutions sont des banques centrales. Elles contrôlent l'émission de billets de banque et gèrent la politique monétaire (voir page 83). Mais il y a des différences entre les deux institutions.

1
À QUI APPARTIENNENT-ELLES ?

Toutes deux n'appartiennent pas à une entité publique ou privée. Elles sont indépendantes, mais sous l'autorité de l'État.

Aux États-Unis, la Réserve fédérale reçoit ses pouvoirs et ses responsabilités du Congrès, mais n'a pas à faire approuver ses décisions par celui-ci ou la présidence. Elle ne reçoit pas de financement du Congrès. Sur son site, la Réserve fédérale écrit qu'il est plus juste de dire qu'elle est « indépendante, sous l'autorité du gouvernement » qu'« indépendante du gouvernement ».

Au Canada, la **banque centrale** relève du ministère des Finances. Dans ce cas également, toutes ses décisions sont prises de façon indépendante du gouvernement. Elle a été créée en 1934 sous la forme d'une société privée avant d'être nationalisée et de devenir une société d'État, en 1938.

2
COMMENT LES DIRIGEANTS SONT-ILS NOMMÉS ?

Chez nos voisins du Sud, le président de la Réserve fédérale est nommé par le président des États-Unis pour un mandat de quatre ans. Son choix doit être entériné par le Sénat. Les membres du conseil des gouverneurs sont nommés, eux, pour 14 ans. Le président du pays les choisit avec l'approbation du Sénat.

Le gouverneur de la Banque du Canada est officiellement nommé pour un mandat de sept ans par le conseil d'administration de l'institution, mais, dans les faits, c'est le ministre des Finances et ultimement le premier ministre qui décide. Le premier sous-gouverneur est aussi nommé par le conseil d'administration avec l'approbation du cabinet des ministres.

3
QUELLES SONT LES DIFFÉRENCES DANS LA STRUCTURE ?

La Réserve fédérale, dont le siège social est à Washington, est formée de 12 banques régionales qui émettent des actions aux banques privées qui en sont membres. Ces actions rapportent 6 % par année et ne sont pas négociables en Bourse. Elles servent de filiales pour les activités de la Réserve fédérale dans les différentes régions du pays.

La Banque du Canada ne possède pas cette structure, mais elle a des bureaux régionaux à Vancouver, Calgary, Toronto, Montréal et Halifax. Son siège social est à Ottawa.

4
QUELLE EST LEUR MISSION RESPECTIVE ?

La Réserve fédérale des États-Unis gère la politique monétaire dans le but de favoriser « la création d'emplois, la stabilité des prix et des taux d'intérêt modérés à long terme ».

La Banque du Canada, pour sa part, a pour mission légale de « contrôler et protéger la valeur de la monnaie nationale sur les marchés internationaux, d'atténuer, autant que possible par l'action monétaire, les fluctuations du niveau général de la production, du commerce, des prix et de l'emploi, et de façon générale de favoriser la prospérité économique et financière du Canada[2] ». Sa stratégie est de maîtriser l'**inflation** à un taux d'environ 2 % dans une fourchette cible de 1 % à 3 %.

5
QUELS SONT LEURS RÔLES PAR RAPPORT AUX BANQUES PRIVÉES ?

Les deux institutions prêtent de l'argent aux banques et s'assurent du maintien d'un système financier en bonne santé. De plus, la Réserve fédérale supervise et pose le cadre réglementaire du système bancaire américain. Au Canada, cette tâche relève du Bureau du surintendant des institutions financières.

La Réserve fédérale a été fondée il y a un siècle, en 1913, et la Banque du Canada en 1934. La plus vieille banque centrale du monde est la Riksbank, en Suède, en activité depuis 1668. La plus jeune des principales banques centrales du monde est la banque centrale d'Europe, fondée en 1998 lors de la création de la **zone euro**.

Sources : Réserve fédérale des États-Unis, Banque du Canada

DEVRIEZ-VOUS CHOISIR VOTRE MARI PARCE QU'IL EST BEAU OU PARCE QU'IL EST RICHE?

Vous êtes romantique et vous pensez que vous avez choisi de vivre avec votre douce moitié pour sa beauté? Vous êtes romantique, vous avez craqué pour ses beaux yeux, ses lèvres purpurines ou ses épaules marmoréennes?

Détrompez-vous!

Toutes nos décisions romantiques sont teintées, consciemment ou inconsciemment, par la froide rationalité des lois de l'offre et de la demande. Oui, oui...

L'économiste Gary Becker a même reçu le prix Nobel d'économie en 1992 pour cette «théorie économique du mariage» qu'il a commencé à élaborer dans les années 60. L'explication, très traditionnelle, de Becker se formulait ainsi : le mariage permet la spécialisation des tâches et des rôles (nous sommes dans les années 60!) : l'homme, qui gagne un salaire plus élevé, devient un meilleur pourvoyeur en allant travailler à l'extérieur, et la femme, qui gagne moins, demeure à la maison (répétons-le : nous sommes dans les années 60!).

Cette «spécialisation» des rôles n'a évidemment plus de rapport avec la réalité d'aujourd'hui. Mais les motivations demeurent tout de même bassement économiques. Pourquoi? Parce qu'on pourrait oser dire que l'une des motivations à vivre en couple, c'est d'augmenter nos possibilités de consommation!

Voyager seul est considérablement plus coûteux que voyager à deux. C'est vrai pour tous les aspects de notre vie : un logement, une voiture et même la nourriture coûtent plus cher quand on est célibataire que lorsqu'on partage les coûts. On a avantage à diviser ce qu'on appelle les «coûts fixes» de façon à ce que ceux-ci deviennent moins élevés pour les deux.

On n'est plus dans l'idée de «spécialisation» de Becker, mais dans la gestion du couple. Aujourd'hui, on gère une union ou un mariage comme une microentreprise dans laquelle la gestion optimale se fait par deux personnes. La théorie du mariage ou de l'union tourne davantage autour de la consommation et de la gestion des affaires.

Allons plus loin : une autre motivation très pragmatique que nous enseigne l'économie, c'est qu'on se marie pour partager le risque lorsque la date de notre mort est incertaine. Le mariage, par ses arrangements de transfert de revenus (testament, police d'assurance, etc.), vient jouer le rôle d'une police d'assurance implicite pour chacun des partenaires.

Autre élément très économique d'une union, c'est le marchandage ! Un couple, c'est une négociation perpétuelle ! En économie, il y a une façon formelle de concevoir le processus de marchandage : lorsqu'il y a désaccord sur un sujet, quelle est la probabilité que vous l'emportiez ?

Il y a eu une grande évolution dans les 50 dernières années à ce propos. Dans les années 60, l'homme avait un pouvoir de décision et, donc, un pouvoir de marchandage très puissant. Aujourd'hui, les femmes sont scolarisées, sont intégrées au marché du travail, gagnent un revenu et n'ont plus peur de vivre et d'élever des enfants toutes seules. Bref, elles sont indépendantes et ont un grand pouvoir de marchandage.

Selon Statistique Canada (2011), pour 100 hommes âgés de 25 à 34 ans titulaires d'un diplôme universitaire, il y a 141 femmes dans la même situation. Et cette tendance ne cesse de s'accentuer avec les années. Ce constat a des implications importantes pour les raisons qui mènent à une union, car de nombreuses études indiquent que le premier facteur « rationnel » qui influe sur le choix d'un partenaire, c'est le revenu[3] !

Pour des raisons purement arithmétiques (il y a dorénavant moins d'hommes aussi scolarisés dans le groupe d'âge précité), si les femmes ne modifient pas leurs attentes (à la baisse), il y a beaucoup de chances qu'elles demeurent célibataires. Ou alors, si elles sont plus âgées et ne peuvent trouver quelqu'un ayant le même niveau d'instruction et à peu près le même âge, elles choisiront un partenaire plus jeune.

L'économie nous montre que la beauté est laissée de côté dans le choix rationnel de se marier malgré toutes nos prétentions. Finalement, dans le mariage, c'est l'amour qui vient tout compliquer !

CHAPITRE 5

PLANÈTE ÉCONOMIE

OU POURQUOI L'ÉCONOMIE MONDIALE CONNAÎT-ELLE DES RATÉS ?

QUELLE EST LA DIFFÉRENCE
ENTRE RÉCESSION ET DÉPRESSION ?

Dans les milieux économiques, on dit souvent à la blague : une **récession**, c'est quand le voisin perd son emploi tandis qu'une **dépression**, c'est quand c'est toi qui le perds !

Il n'existe pas de définition bien arrêtée de ces deux phénomènes et les réponses varient au sein des économistes. De façon générale, on dit qu'on est en récession lorsqu'au moins deux trimestres consécutifs de décroissance du **produit intérieur brut** (PIB) sont observés. C'est la définition la plus répandue d'une récession, celle que l'on trouve généralement dans les médias.

Avant la grande crise économique de 1929, toutes les périodes de ralentissement économique étaient définies comme une dépression. On a en quelque sorte inventé par la suite le terme « récession » pour désigner les périodes de léger ralentissement économique. Le mot « dépression » est maintenant réservé exclusivement aux périodes de ralentissement majeur de l'économie. Si on voulait simplifier au maximum, on dirait qu'une dépression est une récession qui dure trop longtemps !

La crise économique de 1929 a été la scène de changements dramatiques de l'économie au Canada. Entre 1929 et 1932, l'activité économique avait chuté à près de 60 % comparativement à son niveau de 1929, la chute la plus abrupte dans le monde industrialisé après celle des États-Unis[1]. Au plus creux de la **Grande Dépression**, le taux de chômage atteignait 27 %. En général, on dit qu'on est en dépression économique quand la production chute d'au moins 10 % d'une année à l'autre.

On voit bien qu'une contraction de cette ampleur n'a rien à voir avec les récessions dont on entend parler généralement dans les médias.

Mais il y a passablement d'arbitraire dans la définition d'une récession. Au fil des années, l'Organisation de coopération et de développement économiques (OCDE) a graduellement adopté la définition des « deux trimestres de décroissance » dans ses *Perspectives économiques* annuelles bien que d'autres définitions, plus complexes, soient parfois utilisées dans certaines de ses publications plus techniques.

Le National Bureau of Economic Research (NBER) américain, l'organisme qui détermine si, officiellement, l'économie américaine est en récession ou non, utilise quant à lui une définition moins mécanique : « Une récession est une période d'un sommet économique vers un creux. Ainsi, durant une récession, on observe un déclin important de l'activité économique, généralisé à l'ensemble de l'économie et qui peut durer de quelques mois à plus d'une année[2]. » On le constate : il y a davantage de jugement et de gros bon sens dans cette définition.

Le graphique de la page suivante illustre comment un cycle économique normal (un cycle qui alterne expansion et contraction) fluctue. Ainsi, après une période de croissance et ultimement un sommet (les deux premiers trimestres à croissance positive), l'économie fléchit et tombe en récession (les deux derniers trimestres).

Si l'économie suivait ce genre de trajectoire, on la déclarerait en récession après les deux derniers trimestres. Mais n'oublions pas qu'une tendance générale peut cacher de fortes différences entre les secteurs (le secteur manufacturier ralentit, le secteur des services respire la santé). Et, enfin, une très courte récession de moins de six mois (donc, moins de deux trimestres) serait exclue par une telle définition.

Croissance du PIB en %	
Trimestre 1	1,2
Trimestre 2	0,4
Trimestre 3	-0,5 ⎫ récession
Trimestre 4	-0,8 ⎭

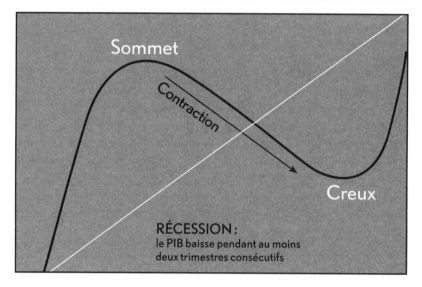

En dépit de l'absence d'une définition unanime pour une dépression, on dit généralement que celle-ci est caractérisée soit par une baisse de l'activité économique d'au moins 10 %, soit par une récession qui dure plus de deux années. Les dépressions économiques sont aujourd'hui très rares à cause des politiques de stabilisation (monétaire et fiscale) plus efficaces et plus sophistiquées. Toutefois, plusieurs estiment que depuis le déclenchement de la crise de la dette souveraine en Europe, en 2009, la Grèce se trouve dans une phase de dépression. En effet, la récession dans ce pays dure depuis plus de deux ans et l'activité économique a chuté de plus de 20 %.

QUELLE EST LA RAISON D'ÊTRE DU FMI ET DE QUI TIENT-IL SON AUTORITÉ ?

Créé en 1944, peu avant la fin de la Seconde Guerre mondiale, le Fonds monétaire international (FMI) est une organisation qui a été mise sur pied pour éviter que des crises majeures comme la **Grande Dépression** de 1929 puissent se reproduire.

Le FMI est aujourd'hui gouverné par 188 pays membres mais, ne vous méprenez pas, tous n'ont pas la même importance. Tout d'abord, chaque membre verse une quote-part, une sorte de tarif pour l'abonnement à ce grand club. Et ce tarif est proportionnel à l'importance du pays dans l'économie mondiale. Les États-Unis, par exemple, contribuent pour près de 20 % du budget du FMI, ce qui donne aux Américains une grande influence sur l'orientation de l'organisme et les décisions à prendre. Les îles Seychelles, avec 0,004 %, n'ont pas une très grosse voix au chapitre...

Ces décisions sont régies par un système complexe de scrutin qui dépend en grande partie, lui aussi, du poids économique de chaque pays. Ainsi, 10 pays membres du FMI comptent pour 55 % des votes. Ces pays sont les suivants :

Les 10 pays les plus importants	Importance du vote (en % du total)
États-Unis	16,75
Japon	6,23
Allemagne	5,81
France	4,29
Royaume-Uni	4,29
Italie	3,81
Chine	3,65
Arabie saoudite	2,80
Canada	2,56
Russie	2,39
Inde	2,34

Source : FMI, au 31 mars 2013

Comme on peut le voir, les États-Unis ont un bloc considérable de votes lorsque des décisions doivent être entérinées. Et ces décisions sont importantes car le budget du FMI est colossal. En plus de sa capacité d'emprunt fixée à environ 50 milliards de dollars américains, le FMI dispose d'un budget de 300 milliards de dollars américains.

Et que fait le FMI avec tout cet argent, demanderez-vous ? Une fonction importante de l'organisme est d'offrir un service de surveillance et de suivi économiques pour tous ses pays membres. Mais un de ces pays peut aussi demander une aide financière pour traverser une crise économique grave. Si elle est accordée, cette aide sera toujours assortie de nombreuses conditions, car c'est le FMI qui dicte les règles nécessaires pour s'assurer que le pays revient dans le droit chemin. Dans le passé, le FMI a aidé les républiques de la défunte Union soviétique dans la transition vers leur indépendance et l'économie de marché.

Il peut aussi offrir du soutien à des pays qui subissent des crises majeures, comme la Corée durant la crise asiatique de 1997. Depuis 2010 – on en a beaucoup entendu parler – le FMI soutient activement la Grèce, l'Irlande, le Portugal et Chypre qui éprouvent des problèmes financiers majeurs. Les médias ont largement fait écho au déclenchement de la crise de la dette publique grecque et des turbulences qui s'en sont suivies dans la zone euro. Dans les cas des plans de sauvetage, le FMI travaille de concert avec la Commission européenne et la Banque centrale européenne, une association que l'on nomme la «troïka» et qui se spécialise, depuis trois ans surtout, dans des prêts d'urgence aux pays en difficulté.

Mais, dans ces cas comme dans les autres, le FMI ne fait pas dans l'aide internationale et le soutien qu'il offre reste toujours conditionnel à des finances publiques à assainir, des privatisations à venir ou encore des réformes structurelles à mettre en place.

D'OÙ VIENT L'ARGENT DU FONDS MONÉTAIRE INTERNATIONAL (FMI) ET DES BANQUES CENTRALES ?

Dans les années ayant suivi la crise financière qui s'est accélérée en septembre 2008, les banques centrales ont injecté des milliers de milliards de dollars dans les marchés financiers et le Fonds monétaire international (FMI) a prêté des sommes colossales aux pays en difficulté. Mais d'où vient cet argent ?

D'abord, les banques centrales sont les grands propriétaires de la planche à billets. Elles sont chargées de veiller sur la monnaie, le crédit et le bon fonctionnement du système bancaire. Leur argent provient des pièces de monnaie, des billets de banque et des réserves qu'elles créent. Elles sont les seules habilitées à créer la monnaie. Les banques commerciales en créent aussi parce qu'elles accordent des prêts. Plus elles prêtent, plus il se crée de la monnaie. Mais, attention, cet argent n'est pas automatiquement transformé en papier. Il est important de réaliser que l'argent en circulation représente aujourd'hui moins de 10 % de l'offre de monnaie, tout le reste étant constitué par des dépôts détenus auprès des banques commerciales. Donc, l'argent injecté par les banques centrales dans les marchés des bons du Trésor américain, par exemple, c'est de l'argent qui est ajouté dans le système. Et qui est théoriquement imprimé.

Pour ce qui est du FMI, aujourd'hui souvent perçu comme une « super-banque », l'institution a été mise sur pied en 1944 lors d'une conférence des Nations unies tenue à Bretton Woods, aux États-Unis. Les 44 nations fondatrices désiraient consolider la coopération entre les nations afin d'éviter que se reproduisent les événements économiques et financiers qui menèrent à la **Grande Dépression** des années 30.

Le FMI est maintenant formé de 188 États membres et dispose d'un budget de quelque 350 milliards de dollars versés par les pays membres, au prorata de leur PIB. Voilà une première source de financement du FMI. Autre source : l'organisme emprunte également sur les marchés financiers afin de compléter le budget provenant des pays membres et ainsi disposer d'une capacité d'intervention accrue. C'est à partir de l'argent des pays membres et d'emprunts sur les marchés, à plus faibles taux d'intérêt que dans plusieurs pays, que le FMI a pu ainsi aider les pays en difficulté, comme la Grèce, à gérer leurs affaires quotidiennes.

À cause de ses actions dans le domaine financier, le FMI est souvent perçu comme étant une banque centrale mondiale. Mais dans les faits, il n'en est pas une au sens strict du terme, ne serait-ce que parce qu'il ne crée pas de pièces de monnaie sonnantes et trébuchantes. Le FMI est davantage une banque de développement (avec beaucoup de conditions) qu'une banque centrale.

POURQUOI DIT-ON QUE LES CHINOIS SONT LES CRÉANCIERS DES ÉTATS-UNIS ?

Il est vrai que les Chinois possèdent une bonne partie de la dette américaine, mais c'est quand même un peu plus compliqué que ça ! Afin de bien comprendre, laissez-nous d'abord établir ce que sont les créances des États-Unis, leur dette, leurs emprunts, leurs **obligations** ou **bons du Trésor**.

Pour payer chaque année des milliards de dollars en nouvelles infrastructures et des dépenses de grande ampleur, la plupart des pays doivent emprunter une partie des sommes nécessaires sur les marchés financiers. Les États s'endettent alors. C'est ce qui contribue, avec les déficits annuels si tel est le cas, à augmenter le niveau d'endettement des pays. Il est possible de réduire cet endettement, ou du moins sa progression, en générant davantage de revenus dans l'économie et en réduisant les dépenses.

Dans le cas des États-Unis, plusieurs éléments sont venus augmenter sensiblement leur endettement depuis le début des années 2000. La croissance économique est demeurée relativement forte, même si elle est passée d'une moyenne de 4 % annuellement en 1960 à 2 % aujourd'hui[3]. Après l'atteinte de l'équilibre budgétaire la dernière fois en 2001 sous l'administration Clinton, les États-Unis se sont enfoncés dans les déficits. **Récession**, attentats du 11 septembre 2001, opérations militaires en Afghanistan et en Irak, investissements massifs dans la sécurité et la lutte contre le terrorisme, **crise financière**, sauvetage des banques et de l'industrie automobile, « **Grande Récession** », des milliers de milliards de dollars ont été dépensés qui ont nécessité un recours massif à l'endettement. Plusieurs nous rappellent que le gouvernement Bush, avec ses baisses d'impôt, a réduit le rendement de l'assiette fiscale du gouvernement et plongé le pays dans un véritable gouffre budgétaire, un **déficit structurel** en quelque sorte.

Quand un pays comme les États-Unis s'endette, il émet des obligations ou des bons du Trésor. Il offre aux investisseurs la possibilité
de « financer » sa dette en lui vendant une obligation ou un bon du
Trésor assorti d'un rendement, d'un taux d'intérêt. Ainsi, vous pouvez
acheter une obligation américaine qui vous donnera un rendement,
disons de 2 % annuellement sur une période de 10 ans. À l'échéance,
le gouvernement rachète votre obligation, autrement dit il rem-
Bourse sa dette.

C'est ici qu'on répond vraiment à la question : les investisseurs qui
avaient l'argent pour acheter les milliers de milliards de dollars
d'obligations américaines, c'étaient les Chinois. Ce sont eux qui ont
pu prêter en quelque sorte de l'argent aux Américains pour leur
permettre de financer leurs dépenses liées aux récessions, aux crises
et aux guerres.

Selon les données du gouvernement américain publiées en septembre 2012, les Chinois possédaient 21 % de la dette des États-Unis
détenue à l'étranger. C'est 1160 milliards de dollars ou 7 % de la dette
totale américaine[4]. Pour permettre une hausse des dépenses gouvernementales, pour maintenir un niveau soutenu de consommation,
pour relever des pans entiers de l'économie qui s'effondraient, le
gouvernement américain s'est lourdement endetté et ce sont les
Chinois, en bonne partie, qui ont acheté les obligations américaines
et financé l'endettement du pays.

Cela donne une prise exceptionnelle à la Chine dans son rapport de
force avec les États-Unis. Washington doit de l'argent à Pékin ! Mais
il est clair, en retour, qu'il n'est pas dans l'intérêt de Pékin de voir
l'économie américaine s'effondrer, auquel cas la valeur des obligations de l'Oncle Sam que possèdent les Chinois pourrait s'effondrer.

Le Japon est un autre grand créancier des États-Unis, suivi de plusieurs
autres pays. À l'automne 2012, le Canada possédait pour 65 milliards
de dollars d'obligations américaines.

LORSQU'UN PAYS EST EN DÉPRESSION, LES DÉPÔTS SONT-ILS PROTÉGÉS ?

L'affaire a marqué les esprits, vous vous en souvenez sans doute : en 2013, la proposition de l'Union européenne (UE) visant à taxer les dépôts bancaires des Chypriotes a provoqué de vives réactions partout dans le monde. Pour aider financièrement Chypre qui n'arrivait plus à rembourser sa dette, l'UE a proposé que le pays taxe les dépôts bancaires. Colère, étonnement et consternation ont suivi en réaction à cette proposition qui a été repoussée par les élus chypriotes.

Cette aventure soulève une question cruciale : nos dépôts bancaires sont-ils protégés contre toute avarie et contre toute possibilité de saisie ? La réponse simple : c'est oui. Mais, comme on l'a constaté à Chypre, il est toujours possible pour un gouvernement de modifier les lois. Advenant un manque de fonds, l'État pourrait théoriquement adopter une loi lui permettant d'utiliser les fonds investis dans une caisse de retraite publique ou encore les dépôts bancaires. Il pourrait les emprunter temporairement ou carrément les taxer, autrement dit les confisquer partiellement.

Même si on peut rendre la chose légale, une telle opération – moralement, politiquement et économiquement – n'est pas sans conséquence. La saisie, d'une manière ou d'une autre, de l'argent des déposants peut avoir plusieurs conséquences : ruée vers les guichets pour retirer son argent, chute de la confiance des citoyens et de la consommation intérieure, effondrement de l'économie, effet sur les autres pays en difficulté puisque les citoyens de ces derniers pourraient croire à l'adoption de mesures de saisie dans leurs propres pays, etc. C'est sans compter les répercussions à long terme sur le niveau de confiance des investisseurs et des épargnants envers un pays qui oserait piger dans les avoirs des déposants.

Chez nous, légalement, la Société d'assurance-dépôts du Canada (SADC) protège les dépôts des citoyens du pays. Son mandat est clair : « Les banques et les autres institutions financières peuvent faire faillite. Même si ça n'arrive pas souvent, c'est déjà arrivé et ça pourrait arriver de nouveau. Si jamais votre banque ou autre institution financière membre de la SADC fait faillite, et que vos épargnes sont assurables, vous pourrez les récupérer, pourvu qu'elles ne dépassent pas 100 000 $. Mais si vos épargnes ne sont PAS protégées, vous pourriez perdre votre argent pour toujours[5]. »

Si vos dépôts se trouvent dans une coopérative de crédit, comme Desjardins, vos dépôts sont également protégés. Desjardins est inscrite « en vertu de la Loi sur l'assurance-dépôts auprès de l'Autorité des marchés financiers. En Ontario, les dépôts dans des régimes enregistrés d'épargne sont assurés intégralement. Les autres dépôts en dollars canadiens sont assurés jusqu'à concurrence de 100 000 $[6]. »

Les balises sont claires et ont été réitérées par le gouvernement du Canada en 2013. Dans le budget 2013-2014, le gouvernement du Canada a annoncé l'établissement d'un nouveau procédé de capitalisation des institutions financières en cas de manque de fonds. Ottawa souhaite éviter ce qui s'est passé aux États-Unis et en Europe lors de la crise financière de 2007 à 2009, c'est-à-dire l'utilisation de fonds publics pour secourir une banque en difficulté. Une solution interne aux institutions financières est développée et il n'est pas envisagé, a fait savoir le gouvernement canadien, de modifier la protection actuelle des dépôts bancaires[7].

En croissance, en récession ou en dépression, il y a des balises qui assurent la protection de vos dépôts bancaires. Et bien mal avisé serait le gouvernement qui voudrait changer ça !

UN PAYS PEUT-IL FAIRE FAILLITE ?

Oui et non.

Dans la réalité, un pays en difficulté comme la Grèce, ces dernières années, s'est retrouvé dans une situation comparable à la faillite. La Saskatchewan au Canada s'est aussi approchée d'un état de faillite dans les années 80 mais a su redresser la situation.

D'abord, décrivons la situation. Un pays, une province ou un État a des revenus et des dépenses. Les recettes proviennent essentiellement des différents impôts et taxes. Les dépenses effectuées concernent le fonctionnement du gouvernement, les investissements publics, les programmes sociaux, les subventions ainsi que l'intérêt à payer sur la **dette** accumulée. La différence entre les revenus et les dépenses, c'est le solde budgétaire. S'il est négatif, les finances publiques sont en **déficit**. S'il est positif, il y a **surplus**.

Cela dit, à partir de quel niveau la dette devient-elle insoutenable ?

Une façon simple et rapide de juger de la « viabilité » de la dette est de l'exprimer en fonction d'une mesure de la richesse de l'économie, le **PIB (produit intérieur brut)**. Un pays qui a une dette de 45 milliards de dollars et une production de 100 milliards de dollars a une dette qui représente 45 % du PIB.

Évidemment, un niveau acceptable dépend aussi de la vitesse à laquelle cette dette s'accumule. Et ce rythme dépend du niveau des taux d'intérêt qui prévaut dans les marchés. Il faut savoir aussi si le pays a de bonnes capacités à rembourser sa dette, qui est fortement tributaire de la croissance économique.

On a devant nous un cocktail qui nous conduit droit au désastre lorsqu'un pays, une province ou un État a :

1. une dette importante ;

2. des taux d'intérêt élevés ;

3. et une croissance économique anémique.

C'est la conjugaison de ces trois facteurs qui est importante, bien plus que le seul fait d'être endetté. Les agences de notation évaluent toujours la gestion de la dette d'un pays et l'évolution prévisible de cette dette dans le temps.

Une très bonne santé financière, comme au Canada, vaut une note de AAA. Une santé financière précaire peut valoir une note de BBB, ce qui envoie aux marchés financiers le message que ce pays représente un investissement plus risqué. Dans ce cas, les investisseurs exigeront un taux de rendement supérieur dans les obligations émises par le gouvernement pour compenser le risque élevé. Une notation de crédit plus faible coûte cher aux pays, aux provinces et aux États qui ont besoin d'emprunter dans les marchés pour financer des projets d'infrastructures, par exemple.

Dans les années 80 et 90, la Saskatchewan a vu sa notation de crédit fondre de AA+ à BBB+. On considère généralement qu'une notation BBB signale un risque sérieux de faillite. La Saskatchewan allait-elle faire faillite, chose qui ne s'était jamais vue dans l'histoire du Canada?

Le premier ministre de l'époque, Roy Romanow, déposa en 1993 un budget extrêmement difficile qui, entre autres mesures de restriction budgétaire, prévoyait un plan d'élimination du déficit sur quatre ans. Les impôts furent relevés et les dépenses radicalement atrophiées. Le plan fut respecté et sut convaincre Standard & Poor's et Moody's. Aujourd'hui, la notation de la Saskatchewan est de AAA.

La Grèce a-t-elle fait faillite? C'est tout comme! Le pays a dû solliciter l'aide du Fonds monétaire international (FMI), qui lui a dicté des mesures majeures pour réadapter sa structure économique et financière. L'incapacité de la Grèce à générer des revenus et à vaincre l'économie souterraine a provoqué une explosion de ses coûts d'emprunt. Coincée, la Grèce n'allait plus être capable de respecter ses obligations financières quand le FMI et l'Europe sont finalement venus à son secours. Le pays a même négocié une réduction de ses créances avec les banques. Ça ressemble pas mal à une faillite, n'est-ce pas?

Au Canada, il y a une forte présomption de la part des marchés financiers que le «grand frère» fédéral n'est pas très loin si jamais une province trébuche. N'eût été le plan de redressement économique et financier du gouvernement Romanow, il est raisonnable de croire que la Saskatchewan se serait retrouvée dans une situation comparable à une faillite et qu'Ottawa serait alors venu prêter main-forte à la province.

D'OÙ VIENT L'ARGENT DE LA BANQUE DU CANADA ?

Si vous ne savez pas d'où provient l'argent des banques, dites-vous bien que vous n'êtes pas seul! C'est cocasse, puisque chacun d'entre nous utilise l'argent constamment. Ne devrions-nous pas savoir d'où provient cet argent dont nous nous servons pour nos transactions?

De nombreuses personnes croient que ce sont les gouvernements qui créent l'argent, mais ce n'est pas le cas. Si ce l'était, le gouvernement fédéral canadien n'aurait simplement qu'à imprimer tout l'argent nécessaire et à éponger notre dette nationale de plus de 600 milliards de dollars.

Au Canada, l'argent qu'on utilise tous les jours, soit en espèces ou grâce à nos petites cartes de plastique, provient de la **Banque du Canada**. Mais quand le gouvernement veut investir un milliard de dollars pour construire ou entretenir nos infrastructures, il n'imprime pas un milliard de dollars. Il émet plutôt un milliard de dollars d'**obligations** (il crée en réalité une dette) et il les envoie à la Banque du Canada. Cette dernière imprime un milliard de dollars de billets neufs et les échange contre les obligations nouvellement émises. C'est une façon d'introduire la monnaie dans l'économie.

Mais il y en a une autre. Comme on l'a vu précédemment, lorsqu'on dépose 100 $ dans notre compte bancaire, ces 100 $ ne demeurent pas dans les coffres de la banque pour toujours. La banque ne garde qu'une faible proportion de cette somme. Dans de nombreux pays, les banques sont contraintes de conserver en réserve une proportion minimale des dépôts pour satisfaire aux demandes de retraits en argent de leurs clients. Ainsi, si une banque ne garde que 10 % de ses dépôts en réserve, elle peut « prêter » à de nouveaux emprunteurs les 90 $ qui viennent tout juste d'être déposés. Ces 90 $ sont une autre façon de mettre de l'argent en circulation.

Au Canada, on a aboli le régime de réserves obligatoires en 1994, laissant aux banques à charte la liberté de déterminer le niveau de réserves souhaité. Dans la réalité de tous les jours, les banques canadiennes conservent le moins d'argent possible comme réserves. Celles-ci, qui sont en fait des dépôts des banques à charte à la Banque du Canada, ne s'élèvent qu'à seulement 0,1 % des avoirs liquides (pièces de monnaie, billets de banque, bons du Trésor, dépôts des banques, obligations, etc.)[8].

Mais la Banque du Canada a quand même toujours son mot à dire pour réguler la monnaie en circulation dans l'économie. Au lieu d'imposer un niveau obligatoire de réserves aux banques commerciales, elle gère la monnaie en circulation par son **taux directeur**. Elle détermine le taux directeur, qui se répercute en cascade sur tous les autres taux d'intérêt (hypothécaires, commerciaux, etc.).

Dans les faits, si la Banque du Canada hausse son taux directeur, les autres taux augmentent également (de façon directe pour le taux préférentiel, indirecte pour les taux hypothécaires). Résultat : les consommateurs et les entreprises ont moins d'argent en poche, laissent plus d'argent à la banque, empruntent moins et remboursent leurs emprunts. En fin de compte, il y a moins d'argent en circulation.

À noter que l'inverse est aussi vrai : une baisse du taux directeur de la Banque du Canada se répercutera sur l'ensemble des taux d'intérêt, faisant diminuer les coûts d'emprunt pour les consommateurs qui veulent acheter des biens durables ou les entreprises qui veulent installer de nouveaux équipements. Les rendements sur l'épargne seront également moins intéressants.

C'est la raison pour laquelle une baisse de taux directeur est associée à une **politique monétaire** expansionniste, parce que pareille initiative incite les gens à moins épargner, à dépenser davantage et, à la clé, à stimuler l'économie.

VOUS VOULEZ UN MARIAGE QUI DURE ?
GAGNEZ MOINS QUE LUI !

Vous croyez en l'égalité des sexes ? Attention, la suite vous consternera !

D'après l'Institut de la statistique du Québec, en 2012 un homme gagnait en moyenne 23,44 $ de l'heure, soit 2,54 $ de plus qu'une femme[9]. Mais le rattrapage des femmes se poursuit puisque l'écart entre les sexes est moins grand qu'en 2001 (2,99 $).

Mais, si on se fie à une étude de l'Université de Chicago[10], celles qui cherchent leur prince charmant ne devraient pas trop se réjouir de cette évolution. C'est encore l'**économie comportementale** qui jette un éclairage sur le rôle des stéréotypes et de l'identité.

L'étude souligne, sondage à l'appui, que 50 % des répondants nés avant 1945 croient qu'il est problématique qu'une femme gagne un revenu plus élevé que son mari. Cette proportion baisse à 30 % pour les répondants nés entre 1946 et 1964 et remonte à près de 40 % pour ceux nés après 1965. Ces tendances persistent qu'il y ait ou non des enfants.

L'étude tente ensuite de déterminer si cette perception selon laquelle une femme doit gagner moins que son époux a un impact sur la probabilité de se marier ou de rester marié. Les conclusions sont loin d'être romantiques : quand une femme gagne un revenu supérieur à celui de son conjoint, la probabilité de se marier diminue significativement. Et si, au cours d'une relation, une femme en vient à gagner davantage que son mari, il y a beaucoup plus de risques que leur union dure moins longtemps que si le mari avait continué d'avoir un revenu plus élevé.

De plus, le quart de la baisse des mariages aux États-Unis depuis 1970 serait attribuable à l'aversion associée au fait que la femme gagne davantage que l'homme.

Ce sont là les résultats étonnants de cette étude qui va plus loin encore en demandant aux femmes si elles seraient prêtes à changer leur comportement individuel sur le marché du travail, sachant que leur revenu pourrait excéder éventuellement celui de leur mari. Les résultats sont probants : les femmes auront généralement tendance à changer leur participation au marché du travail pour éviter de vivre les conséquences d'un revenu supérieur à leur mari.

Au cours des 35 dernières années, la proportion de femmes gagnant plus que leur conjoint est passée de 11 % en 1976 à 31 % en 2009, selon Statistique Canada. Aux États-Unis, la proportion est aujourd'hui de 26 %.

Cela a-t-il un impact sur leur vie de couple ? Les femmes répondent ceci dans l'étude de l'Université de Chicago :

	Femmes qui gagnent moins que leur époux	Femmes qui gagnent plus que leur époux
Mon mariage est très heureux	22 %	15 %
Nous avons eu des problèmes matrimoniaux dans la dernière année	24 %	32 %
Nous avons discuté de séparation dans la dernière année	40 %	46 %

Dans ce contexte, on peut conclure que la situation financière des femmes ne cesse de progresser par rapport à celle des hommes. Mais, l'adaptation psychologique des couples à cette nouvelle réalité se fait, de toute évidence, à pas de tortue.

CHAPITRE 6

DANS LA VIE D'UN MINISTRE DES FINANCES

OU POURQUOI VOUS NE VOULEZ PAS SON JOB !

DETTE BRUTE OU DETTE NETTE ?

Il y a plusieurs façons de mesurer la dette. Parmi celles-ci, il y a la **dette brute** et la **dette nette**. Souvent, le choix d'une mesure ou d'une autre en dit long sur celui qui est en train de parler de la dette. Ainsi, des analystes plus à droite ont tendance à attirer notre regard sur la dette brute alors que ceux de gauche nous parlent davantage de la dette nette. Pourquoi ? Parce qu'à droite, généralement on veut réduire la taille de l'État. Et la donnée sur la dette brute est toujours la plus grosse, la plus inquiétante. Et parce qu'à gauche, on dénonce généralement l'obsession pour la dette, un élément important mais qui ne doit pas occulter les autres enjeux.

Bref, clarifions les choses de façon factuelle. La dette « brute » mesure l'encours de la dette publique du gouvernement. La dette « nette » est définie comme la dette « brute » moins les actifs détenus par le gouvernement. Le tableau suivant présente les pays de l'OCDE les plus endettés, où le pays en tête de liste est celui qui a la dette brute la plus élevée. La dette nette est aussi présentée à des fins de comparaison.

Pays	Dette brute (en % du PIB) 2013	Dette nette (en % du PIB) 2013
Japon	228,4	145,2
Grèce	183,7	121,8
Italie	143,6	116,3
Portugal	142,8	97,8
Irlande	129,3	85,3
Islande	128,6	57,3
France	113,5	73,9
États-Unis	109,1	89,6
Royaume-Uni	109,1	76,1
Allemagne	87,9	50,3
Canada	85,2	36,5
Norvège	41,3	-173,6

Source : Perspectives économiques de l'OCDE, 2013

On remarque que le Japon et la Grèce ont des dettes brutes très élevées. Mais si on utilise la dette nette, on voit que leur situation est sensiblement comparable à l'Italie et, dans une moindre mesure, au Portugal.

En principe, la dette nette est une mesure plus complète de l'endettement d'un gouvernement. Si celui-ci a des actifs importants, ces derniers doivent être pris en compte lorsqu'on veut avoir une idée de la solvabilité d'un État. Prenons l'exemple de la Norvège où le niveau des actifs est tellement important qu'il compense totalement le niveau de la dette si celui-ci est mesuré par la dette brute.

La mesure de la dette nette n'est pas parfaite. Quels actifs faut-il inclure et à quels montants doivent-ils être évalués ? De plus, quand un gouvernement doit refinancer sa dette, c'est de la dette brute qu'il est question. Celle-ci inclut les passifs nets des régimes de retraite et les avantages sociaux futurs.

Alors, dette brute ou dette nette ? L'important est de savoir ce qu'on mesure. L'OCDE présente les deux types de dette pour tous ses pays membres. Tous les budgets au fédéral et toutes les provinces présentent toujours les montants de la dette brute et de la dette nette.

La vraie question n'est pas le concept de dette, mais plutôt si la dette mesurée (brute ou nette) est à un niveau tolérable ou viable à long terme. Ce que l'on veut vraiment savoir lorsqu'on évalue la solvabilité d'un État n'est pas seulement le niveau d'endettement, mais aussi les revenus et les passifs futurs.

Par exemple, des calculs d'économistes américains de renom ont montré que pour stabiliser la dette des États-Unis au niveau actuel (c'est-à-dire pour qu'elle cesse d'augmenter) pour les 80 prochaines années, le gouvernement devrait augmenter les impôts ou réduire les dépenses publiques de cinq points de pourcentage de **PIB** chaque année. Comme les revenus du gouvernement représentent environ 15 % du PIB, cela impliquerait une augmentation du tiers de la ponction des impôts. Et cela rien que pour stabiliser la dette à son niveau d'aujourd'hui. On ne parle même pas de réduction de la dette.

Quelle que soit la définition de la dette utilisée, l'important n'est pas de se limiter aux chiffres d'aujourd'hui, mais de se pencher sur les chiffres qui concernent l'avenir. C'est une question de crédibilité et c'est tout ce qui compte pour les marchés financiers.

À QUI LE QUÉBEC ET LE CANADA REMBOURSENT-ILS LEURS DETTES ?

Si vous êtes déjà allé à New York, vous avez sûrement aperçu ce grand décompteur électronique de la dette américaine sur Times Square. Ce tableau est en place depuis 1989. C'est l'investisseur Seymour Durst qui l'a fait installer à cet endroit au coût de 120 000 $. Cet écran a pour objectif de faire connaître aux contribuables américains la valeur des emprunts de leur gouvernement. À cette époque, la dette américaine s'élevait à 2700 milliards de dollars.

En 2008, la dette américaine a atteint 10 000 milliards de dollars, ce qui a obligé le propriétaire du tableau indicateur à ajouter des cases pour être en mesure de bien chiffrer la valeur des emprunts de l'État. On ne croyait jamais en arriver là. Aujourd'hui, la dette américaine de 16 700 milliards de dollars s'affiche sur un écran électroluminescent ! Chaque citoyen peut constater le fait que sa part de la dette nationale américaine s'élève à 55 000 $. Si on dit que les Chinois sont les créanciers des États-Unis (voir page 98), qui détient la dette québécoise et canadienne ?

D'abord, la **dette nette** publique du gouvernement fédéral s'élevait en septembre 2013 à 617 milliards de dollars, soit 18 000 $ de dette par Canadien. Le gouvernement verse une proportion de 13,7 % de ses revenus en intérêts (ce qu'on appelle aussi le service de la dette). Cela peut sembler considérable mais cette proportion était de 37,6 % en 1990-1991.

Voilà pour la valeur de la dette. Maintenant, qui la détient ? Ce sont les porteurs d'obligations émises par le gouvernement qui peut ainsi financer des projets. Qui sont ces porteurs d'obligations, ces détenteurs de la dette canadienne ? Le tableau suivant nous en donne une idée.

Non-résidents	25 %
Compagnies d'assurances et fonds de pension	24 %
Fonds communs de placement et banques d'investissement	22 %
Autres institutions financières, Banque du Canada, gouvernements fédéral, provinciaux et municipaux	17 %
Banques à charte	12 %

Source : Tableaux de référence financiers, ministère des Finances Canada, 2012

Au Québec, la dette nette totale (qui exclut la part non chiffrée de la dette fédérale) s'élevait à 176,6 milliards de dollars au 31 mars 2013 (49 % du PIB). De façon un peu étonnante, il est très difficile de savoir à qui cette dette est due et il est pratiquement impossible de suivre la trace des titres émis par le gouvernement (principalement des obligations et des bons du Trésor) une fois qu'ils changent de main sur le marché secondaire. Néanmoins, il est possible d'en faire une approximation.

Ainsi, le Mouvement Desjardins est arrivé à la conclusion qu'environ 50 % de la dette du Québec est détenue par des intérêts québécois, c'est-à-dire des institutions financières et des gestionnaires de fonds qui ont leur siège social dans la province. Le reste appartient à des investisseurs canadiens hors Québec et à l'étranger (notamment aux États-Unis, au Japon et en Europe).

On voit donc qu'une grande partie des dettes publiques du Canada et du Québec est détenue par des intérêts étrangers. Est-ce préoccupant ? Oui et non. Oui, car notre dépendance aux investissements internationaux fait que nous sommes plus vulnérables aux changements d'humeur des investisseurs étrangers et cela représente une source de volatilité additionnelle pour le dollar canadien. Non, car toute dette, quelle qu'elle soit, doit être financée par l'émission d'obligations et, de ce point de vue, la nationalité de l'investisseur n'a pas une importance primordiale.

Une désaffection des investisseurs étrangers à l'égard des obligations de nos gouvernements mettrait une pression à la hausse sur les taux d'intérêt au Canada. En effet, comment attirer davantage les investisseurs sans augmenter le rendement consenti ?

QUI DÉCIDE AU CANADA
D'EFFACER LA DETTE D'UN PAYS ?

Vous avez certainement déjà lu ou entendu que le Canada et d'autres pays avaient décidé d'annuler la dette d'un pays d'Afrique ravagé par la famine ou une catastrophe. Comment en arrive-t-on à cette décision ?

D'abord, au Canada, la prérogative d'annuler les créances dues au gouvernement appartient au ministre des Finances. Il doit obtenir toutefois l'aval du cabinet. L'annulation de la **dette** d'un pays est une mesure ponctuelle et exceptionnelle qui s'inscrit dans le cadre d'un effort international coordonné pour fournir des facilités de remboursement aux pays à revenu faible et moyen qui sont très endettés.

Depuis 1996, les initiatives d'allègement et de radiation de dettes du Canada ont été modifiées afin de cibler davantage les pays pauvres et fortement endettés. Ces initiatives visent à alléger le fardeau de la dette de ces pays et à leur donner l'oxygène nécessaire afin qu'ils puissent être capables d'instaurer des programmes ciblant la croissance, la réduction de la pauvreté et d'autres mesures sociales.

Plusieurs **pays en voie de développement** ont contracté une lourde dette à une époque où les conditions étaient généralement favorables, époque caractérisée par une croissance forte, de faibles taux d'intérêt et un dollar américain faible. Des économistes réputés encourageaient la pratique d'emprunter de vastes sommes auprès de pays créanciers, sommes qui étaient investies dans l'industrie et les infrastructures.

Mais, une série d'événements a changé dramatiquement les relations entre les pays débiteurs et les pays créanciers. L'accroissement de la masse monétaire en Occident au cours des années 70 et le choc pétrolier ont fait augmenter les coûts de production et entraîné une spirale inflationniste. L'argent du pétrole a enrichi les banques qui ont alors prêté des sommes considérables, à faibles taux, à des pays qui normalement n'auraient pas été en mesure de les rembourser.

La hausse des taux d'intérêt a tout changé pour les pays pauvres et endettés. L'intérêt sur la dette a explosé, atteignant le double ou plus de la valeur initiale du prêt et, dans certains cas, dépassant la valeur de la totalité de leurs exportations. Nombre de pays en développement ont dû consacrer des sommes supérieures pour payer des intérêts au lieu de consacrer cet argent aux investissements profitant à leur propre pays et susceptibles d'y enrayer la pauvreté. La crise majeure de la dette au Mexique en 1982 a été un signe avant-coureur de l'impossibilité pour plusieurs pays de rembourser la totalité de leur endettement.

C'est ainsi que grâce aux institutions internationales comme le Club de Paris, le Fonds monétaire international, la Banque mondiale et le Fonds africain de développement, divers traitements de dette ont été établis, y compris des initiatives d'allègement de la dette des pays pauvres fortement endettés, dans le but de réduire le fardeau du remboursement de la dette et d'aider à leur croissance.

Dans les dernières années, le Canada a radié la dette de 16 pays pour une valeur totale de plus d'un milliard de dollars. Au moment d'écrire ces lignes, trois autres pays sont à l'examen afin que leur dette soit allégée, soit la République démocratique du Congo (RDC), la Birmanie et le Soudan.

Allègement de la dette bilatérale depuis 2000		
Pays	Années	Montant ($)
Bénin	2001et 2002	402 000 $
Bolivie	2001et 2002	11 067 $
Cameroun	2000-2006	448 000 000 $
Congo	2005-2007, 2010	52 383 000 $
RDC	2003-2007	79 080 000 $
Éthiopie	2001-2004	447 000 $
Ghana	2001-2004	19 113 000 $
Guyane	2001-2004	3 095 000 $
Haïti	2007-2009	2 452 000 $
Honduras	2001-2005	26 178 000 $
Côte d'Ivoire	2002-2004, 2012	261 000 000 $
Madagascar	2000-2004	35 676 000 $
Rwanda	2000-2005	4 637 000 $
Sénégal	2001-2004	5 392 000 $
Tanzanie	2000-2004	80 122 000 $
Zambie	2000-2005	94 192 000 $

Source : ministère des Finances du Canada, 2013

Le Canada participe également à un effort concerté avec des institutions internationales qui devrait permettre d'éliminer 50 milliards de dollars de dette en 50 ans. La part du Canada est de 2,5 milliards de dollars.

QUI SONT LES PROPRIÉTAIRES DES AGENCES DE NOTATION DE CRÉDIT ?

Ah! les agences de notation de crédit! Dire que Standard & Poor's (S&P) ou Moody's font la pluie et le beau temps et «terrorisent» plus d'un gouvernement relève de l'euphémisme.

Le début de ces agences remonte au Français Eugène-François Vidocq. Après sa carrière au sein de la police, l'ex-chef de la police parisienne crée, en 1833, un «bureau de renseignements pour le commerce», une agence de détectives dont une des fonctions consiste à recueillir des informations sur les emprunteurs. Aux États-Unis, leur début se situe à la même époque avec l'agence Dunn, en 1841, à la différence que les évaluations étaient centrées sur les «qualités morales» des chefs d'entreprises.

Les agences de notation de crédit que nous connaissons aujourd'hui – Moody's, Standard & Poor's et Fitch – ont toutes été créées au début des années 1900 afin d'évaluer le risque des obligations émises dans le contexte de projets précis. Ainsi, à l'époque le développement ferroviaire était l'affaire de Moody's et S&P, tandis que le secteur bancaire était la spécialité de Fitch.

C'est de la tête de Henry Varnum Poor qu'est sortie l'idée d'étudier plus systématiquement la solvabilité des entreprises. Mais c'est à John Moody, un ancien journaliste financier, qu'on doit en 1909 la première grille d'évaluation qui donnera les fameux «AAA» ou «AA» d'aujourd'hui, ces notations qui résument les risques courus par les créanciers.

Ces institutions sont des entreprises privées qui offrent leurs services contre rémunération, tout comme votre comptable ou votre notaire. Le service rendu par ces firmes à leurs clients consiste à évaluer le risque que représentent les obligations d'un gouvernement ou les actions d'une entreprise. Cette évaluation du risque est faite à la demande même des clients qui se servent ensuite de cette notation dans leurs démarches auprès des investisseurs.

Mais à qui appartiennent ces puissantes agences ?

- Standard & Poor's est, depuis 1966, la propriété du groupe d'édition McGraw Hill, qui publie entre autres le magazine *Business Week*.

- Moody's est cotée en Bourse et appartient à une grande diversité d'actionnaires. Le plus important est Berkshire Hathaway, la société du célèbre financier Warren Buffett. Moody's détient quant à elle 12 % des actions.

- Fitch est contrôlée à hauteur de 60 % par le groupe financier français Fimalac, entreprise dirigée par le milliardaire Marc Ladreit de Lacharrière. L'entreprise américaine Hearst Corporation détient 40 %.

Elles ont acquis leurs lettres de noblesse puisque, depuis la Grande Crise des années 30, les États-Unis obligent les banques à s'appuyer sur les agences de notation lorsqu'elles produisent leurs bilans. Selon le barème de Standard & Poor's, pour les États-Unis par exemple, une entreprise doit verser au minimum 70 000 $ au début du processus de notation, puis un abonnement de « surveillance ».

Mais, à partir de 1975, la crédibilité des agences est mise à rude épreuve alors qu'elles recommencent à évaluer la situation financière des États, elles qui ne le faisaient plus depuis la Seconde Guerre mondiale. Elles commettent alors des erreurs et émettent des évaluations fortement critiquées :

- années 80 : elles accordent de fortes notations à des pays d'Amérique du Sud en faillite ;
- 1997 : elles abaissent la note de crédit des pays de l'Asie du Sud-Est accélérant ainsi la crise financière dont ils peinent à se sortir ;
- 2001 : elles « ratent » la débâcle d'Enron, encore notée A le jour même de sa faillite ;
- même chose lors de la crise des **subprimes** (crise des crédits hypothécaires à risque), notées AAA à la veille de la crise de 2008 ;

- la crise des dettes souveraines a entaché davantage la réputation de ces agences lorsqu'elles ont décidé d'abaisser la note de la Grèce au rang d'obligations de pacotille ;
- 2011 : Standard & Poor's abaisse la note des États-Unis à la suite d'une erreur de calcul évaluée à 2000 milliards, entraînant la démission du PDG et du responsable des **notes souveraines**[1].

Si les agences de notation ont un rôle important à jouer dans l'évaluation des risques inhérents à l'endettement des gouvernements et des grandes entreprises, on a réalisé avec le temps qu'elles avaient un pouvoir démesuré sur l'économie. Leur influence n'est dorénavant plus la même.

QU'EST-CE QU'UN FONDS SOUVERAIN ?

Cela n'a rien à voir avec le mouvement souverainiste du Québec, d'Écosse ou du Pays basque... Mais, disons qu'un fonds souverain a tout à voir avec l'indépendance financière d'un territoire (province, État et, surtout, pays). Qui a un fonds souverain de nos jours est assis sur une garantie financière exceptionnelle, qui l'assure d'éviter nombre de mésaventures budgétaires.

Un fonds souverain est un fonds contrôlé par un État. Il comprend des capitaux qui ne font pas partie des réserves officielles du gouvernement, généralement des investissements en monnaies étrangères, et qui sont administrés séparément du budget de l'État[2]. C'est un fonds exceptionnel avec des objectifs divers, la plupart du temps beaucoup plus gros que les fonds d'investissement privés[3].

C'est un bas de laine bien rempli, qui croît en fonction du rendement du marché et des injections d'argent prévues par l'État et qui sert de garantie en cas de problèmes budgétaires. Ces fonds assurent aussi, dans plusieurs cas, la couverture des retraites et une forme d'équité intergénérationnelle.

Voici quelques fonds souverains importants :

FONDS SOUVERAINS – ACTIFS EN MILLIARDS DE $ (JUILLET 2013)

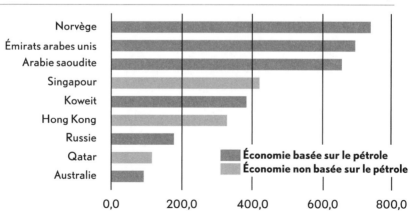

Source : Sovereign Wealth Fund Institute, 2013 sovereign wealth fund rankings

Le fonds souverain consolidé de la Chine est le plus gros au monde, seul pays sur le podium dont le fonds n'est pas alimenté par les revenus pétroliers du pays. En fait, environ 60 des fonds souverains – 91% – sont nourris des revenus des ressources naturelles[4]. Cet argent est investi partout dans le monde et a pour objectif de faire du rendement. Le fonds norvégien, dopé par les revenus pétroliers, est vu comme un modèle à suivre, un exemple d'éthique, de gestion et de transparence. Il détient pour plus de 700 milliards de dollars américains de capitaux.

Il y a moins de transparence aux Émirats arabes unis dans la gestion de leur fonds souverain. Il est possible que ce fonds soit plus important encore que celui de la Norvège, mais ce pays ne révèle pas ses données. Les Émirats arabes unis alimentent leur fonds avec les revenus pétroliers et agissent, disent-ils, comme un investisseur passif, qui n'intervient pas dans la gestion des entreprises où le fonds investit, ni dans les décisions politiques des pays. Ce fonds souverain gérerait 700 milliards de dollars américains (2013).

Les États-Unis, la France et l'Allemagne font partie des pays qui ont exprimé des inquiétudes quant à la puissance des fonds souverains, mais aussi des grosses sociétés d'État. Ils y voient surtout une façon pour des pays comme la Chine de prendre possession d'**intérêts stratégiques** ou de profiter d'une influence démesurée dans l'économie mondiale. En 2005, les Américains ont bloqué l'acquisition de la pétrolière californienne Unocal par la société d'État pétrolière chinoise CNOOC pour des enjeux stratégiques. C'est une autre américaine, Chevron, qui a finalement mis la main sur Unocal[5].

Au Canada, l'Alberta possède un fonds souverain, mais une bonne partie de ses **actifs** ont été utilisés par le gouvernement. La province rapporte que 34 milliards de dollars ont servi à « financer les priorités des Albertains[6] ». Au 31 mars 2013, le fonds détenait près de 17 milliards de dollars. Le Québec a créé en 2006 le Fonds des générations, alimenté notamment par les revenus des redevances hydrauliques et minières. Il est géré par la Caisse de dépôt et placement du Québec. Il comptait au 31 mars 2013 près de 5,5 milliards de dollars[7].

Les fonds souverains du monde comptaient 6000 milliards de dollars en réserve en 2012 et ce montant aura plus que doublé en 2017[8]. Ce sont de puissants acteurs financiers qui modifient les influences **géopolitiques** et économiques, mais qui peuvent assurer aussi une stabilité financière sans précédent pour les territoires qui en possèdent.

QUI EMPOCHE LES INTÉRÊTS PAYÉS
SUR LA DETTE DES PAYS ?

C'est vous ! Vous ne le saviez pas ? Bien, disons que ce n'est pas que vous. Et ce n'est peut-être pas vous du tout non plus, soyons francs. Mais, on serait étonné quand même de réaliser que vous ne touchez absolument rien des intérêts versés par les gouvernements sur leur **dette**. Explications.

Le gouvernement emprunte de l'argent régulièrement pour payer des travaux, des infrastructures et pour réaliser certains projets. Toutes les administrations gouvernementales le font. C'est en empruntant qu'on finance la construction d'une route, d'un hôpital comme le CHUM à Montréal, d'un barrage hydroélectrique comme celui de La Romaine dans le nord du Québec ou encore le futur pont Champlain à Montréal.

Comme on l'a vu, quand on dit que le gouvernement emprunte, c'est qu'il émet des **obligations** dans le marché pour se financer. En retour, il offre un intérêt. Il dispose de différents produits pour solliciter vos investissements : il peut offrir des obligations à **taux d'intérêt** progressif ou à taux fixe, des obligations boursières. Les obligations émises, ce sont des emprunts qui s'ajoutent à sa dette.

En retour, le gouvernement vous rétribue. Il vous promet un intérêt qu'il versera pendant une certaine période de temps. Au bout de cette période, il vous remboursera votre investissement. Toutes ces opérations relèvent du ministère des Finances qui s'assure de diversifier ses produits de financement, de bien les étaler dans le temps et d'éviter un défaut de paiement.

Plus le gouvernement a besoin d'emprunter, plus sa dette augmente. S'il est en déficit annuel – que ses dépenses dépassent ses revenus –, la dette va aussi augmenter. Plus le niveau de la dette augmente, plus il aura des intérêts à payer à ceux qui lui auront prêté cet argent. Et si les taux d'intérêt augmentent dans le marché, le niveau d'intérêt à payer augmentera sur les emprunts successifs effectués par le gouvernement.

Dans les dernières années, avec la crise financière et la récession, plusieurs pays ont dû alourdir leur niveau d'endettement pour relancer leur économie. Ils ont, par le fait même, augmenté sensiblement le niveau d'intérêt à payer. Mais les taux d'intérêt ont beaucoup varié entre les pays, en fonction de leur état de santé financière et économique. Ainsi, le Canada, les États-Unis, l'Allemagne et la France ont réussi à emprunter à de très faibles coûts tandis que la Grèce, l'Italie, l'Espagne et le Portugal ont vu leurs niveaux d'intérêt exploser, rendant presque impossible la possibilité de se financer dans le marché. De là l'obligation de demander l'aide du Fonds monétaire international.

Alors en achetant, par exemple, une obligation du gouvernement du Québec, vous devenez son créancier et c'est à vous que l'intérêt est payé. Cela dit, il faut le préciser, les États se financent pour l'essentiel auprès de banques et de fonds de pension. Ce sont les grands investisseurs qui achètent les obligations des gouvernements et qui les revendent dans le marché obligataire où d'autres investisseurs viennent faire des transactions. Dans ce marché, les taux évoluent en fonction de l'offre et de la demande, ce qui influe sur le niveau d'intérêt qu'un pays devra payer sur sa dette[9].

Ainsi, directement ou indirectement, vous faites partie de ceux qui empochent les intérêts sur la dette d'un gouvernement. C'est le cas si vous avez des obligations d'épargne du Canada[10] ou du Québec[11], si vous recevez des prestations de votre fonds de retraite d'employeur ou si vous avez des fonds d'obligations dans votre REER. La Caisse de dépôt et placement du Québec, qui gère notamment les sommes cotisées à la Régie des rentes du Québec, achète aussi des obligations qui rapportent un certain niveau d'intérêt qui vont se retrouver, un jour, sans que vous le réalisiez, dans votre compte en banque.

QU'EST-CE QUE LE FONDS CONSOLIDÉ DU GOUVERNEMENT DU QUÉBEC ?

Pour vous donner une image claire et précise, disons que le fonds consolidé du revenu du gouvernement du Québec, c'est un peu comme un gros compte d'opération bancaire. Mais, attention, comme c'est peut-être votre cas, ce n'est pas le seul compte du gouvernement. Vous avez probablement aussi un compte d'épargne ou un compte dans une autre institution financière. Le gouvernement aussi.

Le fonds consolidé, c'est le fonds dans lequel sont déposées les recettes du gouvernement et qui sert à payer les dépenses. L'article 29 de la Loi sur l'administration publique définit ainsi ce qu'est le fonds consolidé : « Les revenus et deniers de quelque source qu'ils proviennent ou soient reçus et dont le Parlement a droit d'allocation forment un fonds consolidé du revenu, qui est affecté au service public[12]. »

Dans son budget 2013-2014, le gouvernement du Québec a changé le nom du fonds consolidé pour celui de « Fonds général » pour bien le distinguer des autres fonds, comme les « Fonds spéciaux », le « Fonds de financement des établissements de santé et de services sociaux », le « Fonds des générations », etc.

Le Fonds général est utilisé pour financer les engagements d'un ministre ou d'un organisme budgétaire ou non budgétaire[13]. Les Fonds spéciaux sont « des entités comptables distinctes permettant de gérer isolément les revenus et les dépenses relatives aux activités pour lesquelles ils sont créés[14]. »

Les revenus du Fonds général proviennent des sommes perçues par les ministères et organismes. Une bonne partie de l'argent injecté dans ce fonds provient de vos impôts et des taxes que vous payez, ou ceux provenant des entreprises. Quand le gouvernement obtient un prêt et fait un gain de placement, il place l'argent dans le fonds consolidé.

Les mêmes ministères et organismes se servent des sommes déposées dans le fonds consolidé pour faire des dépenses, pour effectuer les paiements nécessaires et des investissements en immobilisations. Si le gouvernement doit faire un prêt ou un placement, il ira chercher les sommes dans le fonds.

Au fil des années, le gouvernement du Québec n'a cessé d'augmenter ses activités financières à l'extérieur du fonds général. Le budget 2013-2014[15] (avant les mises à jour de mars et novembre 2013) est révélateur :

	Dépenses prévues ($)	Revenus prévus ($)
Fonds général	64 milliards	72 milliards
Autres fonds	19 milliards	23 milliards
Intérêt sur la dette	11 milliards	--
Total consolidé	94 milliards	95 milliards

Le surplus d'un milliard devait être versé au Fonds des générations.

Quel que soit le parti au pouvoir, le gouvernement rend compte publiquement des dépenses de programme, qui sont équivalentes au fonds général. On fait comme si les dépenses des autres fonds et les intérêts sur la dette n'existaient pas. C'est pourtant plus de 30 % des dépenses de l'État.

Pour l'exercice 2013-2014, la croissance prévue des dépenses de programmes (fonds général ou fonds consolidé) était de 1,8 %. En ajoutant les autres fonds, la croissance prévue des dépenses était de 2,3 %. Et en ajoutant l'intérêt, la hausse des dépenses totales était de 3 %.

Finalement, pour revenir à notre image de départ, le fonds consolidé ou fonds général, c'est comme votre principal compte en banque. Mais, vous conviendrez que vous ne pouvez pas tirer de conclusions claires et précises sur l'état de votre situation financière si vous faites abstraction des transactions que vous faites dans les autres comptes.

APRÈS LE DÉFICIT ZÉRO, LA DETTE ZÉRO ?

Les politiciens parlent souvent de l'importance d'équilibrer le budget annuel de l'État, d'arriver au **déficit** zéro. Mais la **dette** zéro est-elle aussi un objectif ? Le déficit zéro, c'est l'équilibre annuel des revenus et des dépenses. La dette zéro serait de n'avoir aucune créance.

En fait, si l'atteinte du déficit zéro pour un gouvernement est souhaitable aux yeux de plusieurs économistes, ce n'est pas le cas de l'endettement zéro. Le monde économique, le système, s'appuie sur la consommation, le crédit et le marché de la dette. Rien dans l'univers économique ne nous mène à la dette zéro, qu'on soit le ministre des Finances ou un simple consommateur.

La seule chose qui est vraie lorsqu'on contracte un emprunt à la banque, c'est la reconnaissance de dette. Et cette dette, qui se trouve à être une écriture comptable, est généralement garantie par des actifs, une maison ou une voiture, par exemple. Vous ne pouvez plus rembourser votre hypothèque ? La banque confisquera votre maison et la revendra au plus offrant afin de se rembourser. Entre-temps, elle aura fait un bon rendement sur l'argent qu'elle vous aura prêté en vous chargeant des intérêts.

L'argent en circulation dans l'économie est à 95 % un jeu d'écritures. Le dépôt de Madame Chose devient l'emprunt de Monsieur Machin. Pour toute personne qui croit que nous allons honorer notre promesse de remboursement, cet accord de prêt ou d'hypothèque est un papier échangeable et vendable. Ce papier représente donc une forme d'argent.

Dans la « vraie vie », un prêt implique que l'on a quelque chose de bien réel à prêter. Si vous avez besoin d'une tondeuse, ma promesse de vous prêter une tondeuse que je n'ai pas ne vous mènera pas très loin. Ce n'est pas comme ça que votre pelouse sera tondue ! Pourtant, dans le monde de l'argent, la simple promesse faite par une banque de vous prêter de l'argent est considérée comme de l'argent véritable.

Vous êtes-vous déjà demandé comment les gouvernements, les entreprises, les ménages pouvaient être aussi endettés en même temps et à des niveaux tels que la Banque du Canada exprime une inquiétude ? Comment peut-il y avoir autant d'argent à emprunter ? La réponse est simple : dorénavant, les banques créent de l'argent et vous prêtent de l'argent qu'elles n'ont pas (voir page 20) ! Il n'y a pratiquement pas de limite.

La dette, c'est de l'argent en circulation.

Les gens pensent généralement que s'il n'y avait pas de dette, tout irait mieux, que notre économie irait mieux. La vérité, c'est que nous dépendons complètement du crédit bancaire. C'est l'oxygène qui alimente le poumon de l'économie. Pas de prêts, pas d'argent. Combien de fois avez-vous reçu dans votre boîte aux lettres une offre de carte de crédit pré-approuvée que vous n'avez jamais demandée ?

Et comment pensez-vous que les gouvernements vont reconstruire le pont Champlain entre Montréal et la Rive-Sud ? En empruntant sur les marchés. En s'endettant. En vous vendant des obligations gouvernementales avec intérêts. La dette est au cœur de la stratégie gouvernementale et du fonctionnement du capitalisme moderne.

Pour le meilleur et pour le pire, vous êtes mariés au système bancaire. Mais maintenant, vous savez pourquoi.

COMMENT STIMULER L'ÉPARGNE ?
SUFFIT D'ÊTRE INTELLIGENT !

L'intelligence va de pair avec la patience et la frugalité, nous disent les sciences sociales. Le saviez-vous ? Et la science économique (qui est aussi une science sociale, en passant...) nous enseigne que dans les pays où les gens sont patients, le niveau d'épargne est plus élevé. Alors, peut-on arriver à la conclusion que les pays dont la population est caractérisée par un quotient intellectuel (QI) élevé ont un taux d'épargne plus élevé ?

Oui ! Et c'est ce qu'a vérifié le professeur Garett Jones dans un texte qui conjugue habilement psychologie et économie, une combinaison de plus en plus populaire chez les économistes[16].

Tout d'abord, Jones illustre le lien intelligence-patience par la « théorie de la guimauve » en psychologie. Cette théorie, maintes fois validée, va comme suit : un adulte laisse un enfant dans une pièce avec une guimauve (n'importe quelle collation fait l'affaire !) Il lui dit qu'il va s'absenter et que s'il résiste à l'envie de manger la guimauve, il en aura deux autres à son retour en guise de récompense.

Cette expérience nous révèle que les enfants qui arrivent à différer leur gratification (manger la guimauve) et qui démontrent une grande patience et une meilleure maîtrise de soi ont un QI significativement plus élevé que la moyenne. Patience et intelligence seraient donc fortement corrélatives.

L'étude montre également qu'à mesure que les placements dans les différents pays deviennent de plus en plus mobiles, les gens qui ont des quotients intellectuels élevés ont tendance à détenir davantage d'actifs financiers. Jones donne l'exemple des populations de l'Asie du Sud-Est, la Chine en particulier, qui ont les scores les plus élevés dans les tests de QI et qui détiennent une proportion de plus en plus grande des actifs financiers dans le monde. Les gens des pays ayant une population avec un QI élevé épargnent donc beaucoup.

La conclusion va donc de soi : on devrait favoriser les initiatives encourageant et consolidant l'intelligence, soit les capacités cognitives, dans les politiques de nutrition et d'éducation. Par ricochet, cela contribuera à faire augmenter l'épargne. Évidemment, augmenter les capacités cognitives d'une population comporte des avantages qui vont bien au-delà d'une plus grande épargne, qu'on pense notamment à la productivité.

Alors qu'on essaie de trouver des solutions pour augmenter notre trop faible niveau d'épargne au Québec et au Canada, le lien entre intelligence et patience nous montre peut-être une voie.

Retournons sur les bancs d'école, combattons le décrochage, devenons plus intelligents... et plus riches !

CHAPITRE 7

LA BOURSE OU LA VIE

OU LA VRAIE QUESTION :
L'UNE VA-T-ELLE SANS L'AUTRE ?

POURQUOI L'ACTION D'UNE ENTREPRISE QUI SUPPRIME DES EMPLOIS MONTE-T-ELLE ?

Bien des gens trouvent totalement révoltant de constater que mettre 200 personnes à la rue peut entraîner une hausse du prix de l'action d'une entreprise cotée en Bourse, et qu'une telle opération puisse en fait s'avérer fort payante pour les actionnaires. C'est la dure réalité de la Bourse. Le pire, c'est que vos placements personnels et vos rentes gérés par la Caisse de dépôt et placement du Québec en bénéficient possiblement. C'est ici que l'expression « profiter du malheur des autres » prend tout son sens.

Une entreprise qui supprime des emplois le fait parce que les affaires sont moins bonnes, que les ventes sont en baisse, que les coûts de production augmentent et que les **profits** s'amenuisent. On peut la comprendre, même si le geste peut avoir des conséquences majeures sur les travailleurs et leurs familles. Mais, une entreprise qui a des actions en Bourse est une société qui est aussi soumise à la pression des actionnaires, petits et grands. Et que veulent-ils ? Du **rendement** ! Toujours plus de rendement, de **dividendes** et une appréciation de la valeur de leurs actions. Si bien qu'un simple ralentissement de la hausse des profits peut entraîner toute une restructuration à l'échelle mondiale afin d'améliorer la marge bénéficiaire.

Exemple : IBM annonce au printemps 2013 un profit net de 3 $ par action pour son premier trimestre. Les analystes financiers attendaient 3,05 $. Le géant de l'informatique annonce aussi que son chiffre d'affaires a ralenti de 5 % alors que les analystes ne prévoyaient aucun changement au chapitre des revenus[1]. C'est la première baisse des profits par action d'IBM après 41 trimestres de croissance consécutifs. Autrement dit, l'entreprise demeure très profitable, ses affaires vont bien, mais le résultat – des chiffres « décevants » (par rapport aux attentes, évidemment) – fait en sorte que la valeur de l'action perd 8 % en Bourse. L'entreprise annonce donc qu'elle va réduire ses dépenses : vente d'actifs et... suppression d'emplois. Le chef de la direction financière parle alors de « rééquilibrage du personnel[2] ».

L'agence Bloomberg évaluera quelques semaines plus tard que l'entreprise s'apprête à supprimer de 6000 à 8000 emplois. La perte en Bourse sera alors complètement effacée dans l'intervalle[3]. Pourquoi ? Parce qu'une entreprise qui supprime des emplois pour réduire ses dépenses et retrouver les marges de profit perdues est une entreprise qui prend ses responsabilités aux yeux des investisseurs et des actionnaires. Si vous avez une baisse de revenus, qu'allez-vous faire ? Réduire vos dépenses ou trouver de nouveaux revenus. Pour une entreprise, supprimer des emplois fait partie des solutions (on baisse les coûts), tout comme en créer, d'ailleurs, quand vient le temps d'augmenter la production.

Ce qui pousse à l'irritation complète, c'est lorsqu'une entreprise verse des bonis à ses cadres qui atteignent leurs objectifs financiers en supprimant des emplois. C'est fréquent et c'est ainsi qu'on motive bien des gens à prendre des décisions difficiles, dures pour les travailleurs, mais souvent heureuses pour les actionnaires.

C'est un constat froid, mais factuel. La pression boursière est au cœur de cette réalité.

QUE SONT LES PRODUITS DÉRIVÉS ?

Si vous achetez un chandail du Canadien lors d'un match au Centre Bell à Montréal ou si, lors d'un voyage à Graceland dans le Tennessee, vous vous procurez un cendrier avec l'image d'Elvis coincée dans le verre, vous achetez des produits dérivés. Ce sont des articles qui sont créés à partir d'un autre produit : dans ces cas-ci, le Canadien et Elvis Presley.

Mais, qu'est-ce qu'un produit dérivé dans le monde de la finance ? C'est un peu la même chose, mais c'est un peu plus compliqué. Procédons par étapes.

En marge du monde boursier classique – acheter et vendre des actions –, il y a d'autres produits disponibles qui permettent de faire de l'argent : ce sont des produits dérivés qu'on échange par contrat. C'est un actif qui se négocie entre deux personnes à un prix fixé d'avance[4].

Exemple d'un produit dérivé, celui d'un **contrat à terme** sur l'achat de blé : le **courtier** Delorme à New York appelle le courtier Fillion à Londres et lui propose de lui vendre une **option d'achat** dans trois mois sur un contrat de 100 000 tonnes métriques de blé à 300 $ la tonne. En termes concrets, on propose donc la possibilité d'acheter dans trois mois une quantité précise de blé à un prix connu et fixé d'avance.

Le courtier Delorme réalise deux choses si le courtier Fillion accepte. Il se protège d'une baisse possible des prix dans trois mois si tel était le cas. En revanche, il ne profitera pas de la hausse des prix si ceux-ci augmentent. L'acheteur, lui, s'assure d'obtenir 100 000 tonnes métriques de blé dans trois mois à un prix prévisible. À 300 $ la tonne, il aura obtenu ce blé à un prix moindre si celui-ci monte dans le marché, mais il aura payé plus cher si le prix baisse[5].

Autre exemple d'un produit dérivé, celui d'un contrat à terme sur devise : Yves, exportateur de portes et fenêtres, veut garantir le montant qu'il touchera au moment de la vente de ses produits aux États-Unis. Il veut éviter une éventuelle baisse de valeur du dollar américain entre le moment où il obtient sa commande et le moment du paiement. On dit alors qu'il va se protéger ou qu'il va se « couvrir » contre les variations de change.

En passant par un courtier qui négociera le contrat à la Bourse de Montréal, Yves (l'exportateur) achètera un dérivé de devise ou une option à terme sur le dollar américain qui lui permettra de fixer dans le temps la valeur de la devise pour s'assurer de toucher une somme bien précise. Il peut, par exemple, déterminer que le contrat va se faire à parité entre le dollar canadien et le dollar américain dans six mois. Si le dollar canadien perd de la valeur par rapport au dollar américain, il ne sera pas affecté par la dépréciation de la devise, ce qui autrement viendrait réduire son revenu et son profit. Si le dollar canadien prend de la valeur par rapport au dollar américain, il ne profitera pas de la hausse en retour. Mais son objectif primordial est de se protéger contre une possible chute du dollar canadien[6].

Les actifs négociés dans les contrats de produits dérivés peuvent être des actions, des obligations, des indices boursiers, du pétrole, des denrées alimentaires, un taux de change et quantité d'autres produits dans le cadre de contrats développés de façon ingénieuse par les banques depuis les années 80.

Ces produits dérivés sont là pour offrir une protection à des investisseurs et entreprises contre des variations de prix. Mais, ils sont grandement utilisés aussi pour spéculer (voir page 141). Ainsi, un type de produit dérivé, les couvertures de défaillance[7] (mieux connues sous le nom anglais de *Credit Default Swap*) sont vendues notamment pour se protéger contre le non-paiement d'obligations par un État.

Dans le cas de la Grèce, plus les doutes augmentaient sur sa capacité de payer, plus la valeur des contrats d'assurance contre le non-paiement d'obligations montait. Par surcroît, les courtiers en vendaient et empochaient les profits. On s'entend : il est peu probable qu'un État ne puisse pas rembourser le détenteur d'une obligation et que, donc, l'assurance soit payée. Certains courtiers avaient tout intérêt à ce que la Grèce continue de s'enfoncer[8].

Si l'imagination n'a plus de limites pour créer des produits dérivés du Canadien de Montréal ou d'Elvis Presley, il en est de même pour les marchés financiers.

QU'EST-CE QUE LA « TAXE TOBIN » SUR LES TRANSACTIONS FINANCIÈRES ?

L'idée derrière la « taxe Tobin » paraît séduisante, puisqu'elle permettrait presque de punir les banquiers et les spéculateurs : vous faites des milliards, vous avez créé la **crise financière**, nous allons maintenant taxer tous vos mouvements ! Cette position est bien reçue dans l'opinion publique, mais semble difficile à mettre en œuvre.

On l'appelle souvent la « taxe Tobin » en référence à celui qui a proposé, pour la première fois en 1972, la création d'une telle taxe : James Tobin, professeur d'économie à l'Université Yale et lauréat en 1981 du Nobel d'économie. L'objectif de cette taxe était de réduire le nombre de transactions et de « faire fuir les spéculateurs » en effectuant « sur chaque opération un prélèvement minime[9] ».

James Tobin proposait que l'argent recueilli soit remis à la **Banque mondiale**. Aujourd'hui, plusieurs proposent que les recettes d'une telle taxe soient utilisées pour rembourser la dette, pour stimuler l'économie, pour l'aide au développement comme le souhaitent plusieurs ONG[10] ou encore, comme le proposait l'économiste Jean Pisani-Ferry dans *Le Monde économie* du 27 avril 2010, pour faire payer aux banques leur sauvetage de 2008 et 2009 et les éventuels sauvetages[11].

Exemple : un courtier achète 10 000 actions à 10 $ chacune pour un total de 100 000 $. Une taxe de 0,1 % s'applique alors, c'est-à-dire 100 $. Si le courtier réalise ainsi 100 transactions dans sa journée, c'est 10 000 $ de taxes qu'il doit payer.

C'est trop, disent les banquiers, c'est trop peu, écrivait Christian Chavagneux, rédacteur en chef adjoint du magazine *Alternatives économiques* en 2011 : « Les niveaux de taxe avancés sont trop faibles pour remettre en cause les perspectives de profits à réaliser sur un pari spéculatif[12]. »

La proposition qui a été étudiée dans les dernières années en Europe est celle de taxer chaque transaction sur des actions ou des obligations à 0,1 % et chaque transaction touchant des produits dérivés à 0,01 %. La **Commission européenne** évaluait en 2011 que ces taxes rapporteraient 50 milliards d'euros, soit près de 70 milliards de dollars canadiens[13]. L'évaluation est tombée dans une fourchette de 20 à 35 milliards d'euros en 2013, soit de 30 à 50 milliards de dollars canadiens[14-15].

La France a mis en place une taxe sur les transactions financières en 2012. D'autres pays d'Europe (11 au total) étaient en voie de faire de même en 2013. Mais l'opposition des banques, de la Grande-Bretagne et des banques centrales a fait dérailler le projet. Le projet de taxe a été sensiblement réduit. Le gouverneur de la Banque de France, Christian Noyer, craignait un impact très négatif sur la santé du marché financier français. Des banquiers sont allés jusqu'à dire que cette taxe ferait grimper les coûts d'emprunt dans les marchés financiers pour les pays d'Europe[16]. Il faut ajouter qu'une telle taxe, si elle n'est pas appliquée par une vaste majorité de pays, peut entraîner un phénomène d'évitement fiscal. À souligner que le Canada et les États-Unis se sont opposés au projet de taxe sur les transactions financières.

POURQUOI LES PRIX ALIMENTAIRES AUGMENTENT-ILS ?

Au printemps et à l'été 2008, tout juste avant la chute du monde financier, les prix des ressources et des **denrées** atteignaient des sommets mondiaux. Rappelez-vous : le baril de pétrole aux États-Unis avait dépassé la barre des 150 $. Et plusieurs aliments essentiels à des milliards de personnes n'étaient plus accessibles à un prix raisonnable. Avant la crise, les bulles se multipliaient, surtout sur les marchés immobiliers.

Voyez ce graphique de l'Organisation des Nations Unies pour l'alimentation et l'agriculture (FAO). Malgré une légère baisse des stocks et une croissance de la production, les prix du riz ont littéralement explosé en 2008[17].

HAUSSE DES COURS DU RIZ

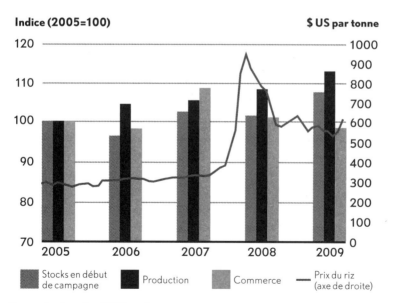

Source des données : FAQ (2010)

Note : La production et les stocks en début de campagne se réfèrent à l'année de commercialisation (par exemple, 2005 correspond à 2004-2005)

Le même phénomène s'est produit pour le maïs, comme le montre ce graphique de l'évolution des prix du boisseau de maïs à la Bourse de Chicago[18].

COURS DES MATIÈRES IMPORTÉES : MAÏS (CHICAGO) PRIX EN CENTS US PAR BOISSEAU

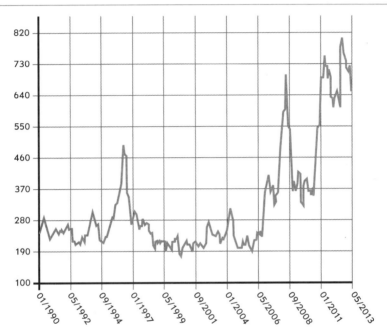

Source : Institut national de la statistique et des études économiques

Les deux graphiques révèlent un changement énorme à la fin de 2007 et au début 2008. Le prix du riz a triplé. Le prix du maïs a doublé. Et, vers la fin de 2009 et au début de 2010, alors que s'est calmée la crise financière et que s'achevait la « **Grande Récession** », les prix du riz et du maïs sont repartis à la hausse, atteignant de nouveaux sommets. Pourquoi ?

En 2007 et 2008, ce qui apparaît comme l'une des principales explications, ce sont les anticipations sur la production à venir d'**agrocarburants.** On voit une formidable opportunité d'utiliser des produits agricoles pour faire avancer nos automobiles. Un vent spéculatif souffle alors sur les marchés, provoquant une flambée des prix et des émeutes à cause de la faim. « Entre 2005 et 2008, écrit *Alternatives économiques*, la part des acteurs non commerciaux dans les prises de position sur le marché du maïs est passée de 17 % à 43 % et de 28 % à 42 % sur le marché du blé[19]. » L'ancien rapporteur spécial des Nations unies pour le droit à l'alimentation Jean Ziegler a alors parlé de « crime contre l'humanité[20]. »

Il y a aussi d'autres explications pour comprendre la hausse durable des prix alimentaires :

1. Les inondations et les sécheresses bouleversent les récoltes et poussent certains pays, comme la Russie en 2010 avec le blé, à suspendre leurs exportations.

2. Alors que la demande augmente, plusieurs pays puisent dans leurs réserves, ce qui fait pression également sur les prix à la hausse parce que le marché s'attend à une production supplémentaire pour renflouer les stocks et assurer que la demande sera satisfaite.

3. Parce que les promesses venues des agrocarburants sont alléchantes, certains producteurs changent de culture, ce qui crée de la rareté sur certaines cultures.

4. La baisse du dollar américain a favorisé les transactions sur les contrats de produits dérivés portant sur les denrées alimentaires, qui sont négociés en dollars américains. La baisse de la devise américaine attire les investisseurs qui, par leurs interventions massives, font grimper les prix sur les denrées.

5. La hausse du prix du pétrole, nécessaire au transport des denrées, entraîne aussi une hausse des prix.

6. Et, finalement, certains évoquent les pressions des pays riches au fil du temps sur les pays du Sud. *Alternatives économiques* écrivait en 2011 que les coûts des aliments qui montent, c'est « le résultat de plus de vingt ans de sous-investissement dans l'agriculture du Sud et de l'essoufflement au Nord d'un modèle agricole fondé sur une exploitation non durable des ressources naturelles[21] ».

Environ un milliard de personnes manquent de nourriture dans le monde, les deux tiers en Asie et le quart en Afrique. Nous serons neuf milliards d'êtres humains en 2050. Avec les **pays émergents** qui s'enrichissent, la demande alimentaire ne cessera d'augmenter et tout indique que les prix continueront leur ascension.

Et puis, incroyable mais vrai, l'ONU rapporte qu'on produit quotidiennement «4600 kilocalories de cultures comestibles par personne mais seules 2000 arrivent jusqu'aux consommateurs[22]». Pourquoi? Parmi les raisons principales : le besoin de céréales pour l'alimentation des animaux (dont la viande est de plus en plus consommée) ne cesse de grandir et les pertes dans les transports et la distribution sont immenses.

Alors, faut-il produire plus ou mieux gérer la production et la distribution? Ou, finalement, faut-il faire les deux?

QUELS SONT LES SIGNES ANNONCIATEURS D'UN KRACH BOURSIER ?

Les krachs boursiers sont des événements à la fois mystérieux et très révélateurs de l'espèce humaine, dont plusieurs décisions sont animées par l'appât du gain.

Le premier krach date de 1637. C'est l'effondrement des cours de la... tulipe ! C'est Charles Mackay qui en a parlé en 1841 dans un livre intitulé *Extraordinary Popular Delusions and the Madness of Crowds*. Il raconte que l'éclatement du marché de la tulipe est la première crise financière impliquant une bulle spéculative.

Venue de Turquie, la fleur de tulipe fit son chemin à travers l'Europe dans le courant du 16ᵉ siècle et commença à être très prisée par les foyers bourgeois de la Hollande, mais aussi des différentes cours d'Europe. Tout le monde voulait posséder et cultiver des tulipes. Au point qu'un marché de promesses d'achat et de vente de bulbes de tulipes se met en place, souvent sans dépôt de garantie. Et très vite, les promesses de livraison se trouvent complètement déconnectées des quantités réelles. Les cours de la tulipe s'effondrent en février 1637 et des milliers de Hollandais sont complètement ruinés. Bulbe spéculatif !

On a connu d'autres débandades majeures similaires à celle-ci. L'effondrement des marchés boursiers en octobre 1929 a fait suite à l'explosion d'une **bulle spéculative** qui avait poussé des millions d'Américains à acheter des actions par l'intermédiaire de fonds d'investissement. Le lundi 28 octobre 1929, l'indice **Dow Jones** s'est effondré de 13 %. Il a encore perdu 12 % le lendemain. Et fin novembre 1929, il avait perdu la moitié de sa valeur, et près de 90 % à la mi-1932.

En 1987, nouveau krach majeur : encore un lundi d'octobre, le 19, le Dow Jones s'effondre de 23 % en une seule séance, la plus forte glissade jamais enregistrée sur cette place à ce jour. La plupart des marchés mondiaux suivent le mouvement.

Le krach boursier d'octobre 2008 entraîne la plupart des Bourses mondiales vers la plus forte baisse de leur histoire en une semaine : – 22 % à Paris, – 24 % à Tokyo et – 21 % à New York. Cette fois-ci, c'est le dégonflement brutal de la bulle de l'immobilier aux États-Unis, et principalement des **subprimes** (crédits hypothécaires à risque), qui en sont les responsables. Le 15 septembre 2008, l'annonce de la faillite de la banque d'affaires Lehman Brothers fait chuter toutes les places financières.

On voit donc que ce qui est précurseur d'un krach boursier, c'est la grande spéculation, celle qui est alimentée par l'avidité et l'appât du gain. Toutes les crises sont dopées par une spéculation irrationnelle et collective qui amène progressivement une déconnexion entre la valeur réelle des titres échangés – que ce soit pour une tulipe ou pour une action – et la valeur spéculative. Tout le monde achète ou vend à n'importe quel prix et en même temps.

Le phénomène de cette spéculation effrénée est amplifié aujourd'hui par la facilité avec laquelle on peut négocier des actions sur les marchés boursiers par Internet depuis son salon. Cette facilité peut exagérer les variations brutales et spectaculaires des cours, que ce soit à la hausse ou à la baisse.

Plusieurs places boursières ont dorénavant mis en place des mécanismes « coupe-circuit » qui font que les transactions sont suspendues en cas de variations trop brutales des cours boursiers. À **Wall Street** par exemple, le premier coupe-circuit se déclenche après une baisse de 7 % durant une même séance. À ce moment-là, les cours sont suspendus pour 15 minutes. Le deuxième seuil est de 13 %. Là, encore une fois, on refroidit les esprits pour 15 minutes. Si une baisse de 20 % se produit au cours d'une même séance, on interrompt les transactions pour le reste de la journée en espérant qu'une bonne et réparatrice nuit de sommeil ramènera un peu de rationalité financière le lendemain.

COMMENT LA VALEUR DU DOLLAR CANADIEN S'ÉTABLIT-ELLE ?

Pour répondre à cette question, il est plus facile de considérer le dollar canadien comme n'importe quel autre bien. Quand il y a une forte demande pour le pétrole, son prix augmente. Par exemple, quand il y a surproduction, son prix chute. C'est la loi de l'offre et de la demande. C'est la même chose pour les devises et, donc, pour le dollar canadien.

C'est tout de même un peu plus compliqué que cela parce que le dollar canadien est aussi un intermédiaire, un outil. Si vous allez à l'épicerie et si vous achetez pour 50 $ de biens, le commerçant et vous ne discuterez pas de la valeur de l'intermédiaire, soit le dollar canadien. Vous donnez 50 $, il reçoit 50 $.

Mais, dans les échanges entre deux pays, il y a la conversion. Lorsqu'on importe, par exemple, une BMW d'Allemagne, il nous faut des euros pour nous la procurer. Il faut donc convertir nos dollars canadiens en euros, c'est ce qu'on appelle le change. Le nombre d'euros que l'on aura pour un dollar canadien est ce qu'on appelle le « **taux de change** ». En fait, c'est la valeur de notre devise par rapport à une autre devise.

Et donc, dans cet exemple, si l'auto coûte 70 000 $ et si vous l'achetez au Canada, vous allez payer 70 000 $. Mais, si vous l'achetez en Allemagne, la valeur de votre dollar n'est plus la même. Votre dollar canadien valait environ 70 centimes d'euro en 2013.

Toute transaction avec un autre pays nécessite la conversion de notre argent dans une autre devise. Donc, quand l'Allemagne exporte ses BMW au Canada, le concessionnaire canadien va, dans les faits, acheter des euros pour les payer. Et si des concessionnaires allemands importent des voitures Toyota fabriquées à Waterloo, en Ontario, ils vont acheter des dollars canadiens pour payer les voitures fabriquées au Canada.

Quand les étrangers se procurent des dollars canadiens pour acheter nos **exportations** ou encore pour investir en placements canadiens, la valeur de notre dollar augmente. Quand c'est nous qui acquérons des euros avec nos dollars canadiens pour acheter ou investir à l'étranger, c'est notre huard qui perd de la valeur et c'est l'euro qui en gagne.

Toutes les transactions impliquant le dollar canadien sont consignées dans un grand compte que l'on appelle la balance des paiements. On calcule ici les exportations, les **importations**, les investissements faits par des Canadiens à l'étranger et les investissements des étrangers faits au Canada. C'est la partie mécanique et chiffrée de l'équation.

Mais, la valeur du dollar dépend de plusieurs facteurs qu'il n'est pas possible de quantifier, de sorte qu'il est difficile de bien prévoir les variations de notre devise. Est-ce que l'économie mondiale va bien ? Est-ce que la demande est forte ou est-elle appelée à ralentir ? Si la demande ralentit, c'est donc la demande en ressources qui va baisser... Et, qui a beaucoup de ressources à vendre au monde entier ? C'est le Canada, ma foi ! Donc : ralentissement mondial, ralentissement de la demande en ressources, baisse des cours du pétrole... baisse du dollar canadien.

En revanche, si la Banque du Canada envoie un signal de hausse de taux d'intérêt, quel sera l'impact sur le dollar canadien ? Une hausse des taux, c'est une hausse des rendements sur les obligations. Du coup, il peut devenir très intéressant pour un investisseur étranger d'acheter au Canada et, donc, vous devinez la suite : hausse du dollar canadien.

La **productivité** aussi est un facteur qui influe sur le dollar canadien. Si nous devenons moins productifs par rapport aux autres pays et, donc, moins concurrentiels, la valeur du dollar canadien baissera par rapport aux autres devises. Par contre, si nous investissons dans les nouvelles technologies, si nous formons mieux nos travailleurs, alors la valeur de notre dollar s'appréciera au fil du temps.

La valeur du dollar canadien n'est pas fixée sur un tableau comme les prix de l'essence. Elle fluctue au gré de l'offre et de la demande, des prévisions, des perceptions et des forces et faiblesses fondamentales de notre économie.

QUE REPRÉSENTENT LES POINTS DES INDICES BOURSIERS ?

On veut que la Bourse monte pour que nos épargnes placées dans les marchés prennent de la valeur. Mais au fait, qu'est-ce qui monte quand on parle d'une hausse de 100 points de l'indice TSX à la Bourse de Toronto ? Est-ce que 100 points, c'est 100 dollars, 1 million de dollars ? Ça représente quoi ?

D'abord, définissons l'expression « **capitalisation boursière** » : il s'agit de la valeur totale de toutes les actions d'une entreprise en Bourse. Autrement dit, si vous deviez acheter toutes les actions d'une entreprise en Bourse, vous auriez alors sa capitalisation boursière[23]. C'est donc le nombre d'actions d'une société en Bourse multiplié par la valeur des actions en question.

Dans un indice se retrouvent un certain nombre d'entreprises qui répondent à des critères précis : capitalisation boursière, santé financière, **liquidités**, lieu des activités, etc. Dans le cas du S&P 500 à la Bourse de New York, par exemple, les entreprises qui accèdent à l'indice (500 au total) doivent avoir une capitalisation boursière d'au moins 4,6 milliards de dollars, un niveau adéquat de liquidités et être considérées comme des entreprises américaines selon différents critères[24].

Le Dow Jones est composé de 30 groupes industriels, ce qui en fait un indice beaucoup moins représentatif du marché et de l'économie que le S&P 500. Le S&P/TSX à Toronto est l'indice phare de la Bourse au Canada. Il compte de 200 à 250 entreprises canadiennes selon différents critères[25].

Plusieurs indices portent les lettres S&P dans leurs noms pour signifier Standard and Poor's, la firme qui les a créés et qui les gère en s'assurant du respect de ses règles d'admission et de ses critères.

L'indice est un pointage donné à la valeur des actions négociées par les entreprises qui en ont font partie. L'entreprise qui a la plus forte capitalisation est celle qui se fait attribuer le plus de points. Donc, la hausse ou la baisse de son action aura plus d'influence sur l'évolution de l'indice que la hausse ou la baisse de l'action de la société dont la capitalisation est la plus faible.

Voici un exemple fictif : trois entreprises forment l'indice Fillion 3. Chaque dollar de capitalisation donne cinq points.

	Nombre d'actions	Valeur par action	Capitalisation	Nombre de points
Société A	100	10 $	1000 $	5000
Société B	50	7 $	350 $	1750
Société C	50	5 $	250 $	1250

Si l'action de la société A gagne un dollar, sa capitalisation boursière passe donc de 1000 $ à 1100 $ (100 $ x 11 $) et son nombre de points va donc bondir de 5000 à 5500. Autrement dit, le mouvement de cette entreprise, la plus grosse de notre indice, fait grimper l'indice de 500 points.

Mais, il est possible que la société B ait vu son action baisser ce même jour de 1 $. Ainsi, sa capitalisation passe de 350 $ à 300 $ (50 $ x 6 $). Son nombre de points va ainsi passer de 1750 à 1600, une baisse de 150 points.

En supposant que la société C n'a pas bougé, l'indice Fillion 3 a donc gagné 350 points durant la journée puisqu'on fait le calcul suivant : 500 points de plus pour la société A, 150 points de moins pour la société B, même pointage pour la société C, au total, l'indice donc est en hausse de 350 points.

Au lieu de donner un pointage, s'il fallait, tous les jours, donner le total en dollars de la valeur des actions des entreprises dans un groupe, nous arriverions à des tableaux comprenant des milliers de milliards de dollars. Serait-ce vraiment plus clair ?

QUE SIGNIFIE « CRÉER DE LA VALEUR » ?

Ce sont des mots que nous entendons fréquemment de la bouche des PDG d'entreprises. Une acquisition, la vente d'un actif ou une restructuration auront généralement pour but de « créer de la valeur » pour les actionnaires. Qu'est-ce que cela signifie exactement ?

L'idée, c'est d'ajouter. Ajouter des revenus, ajouter de la richesse, ajouter du rendement. En Bourse, une hausse de la valeur de l'action est un ajout de valeur. Derrière cette croissance, il y a des gestes qui sont faits et qui ont pour objectif de « créer de la valeur » : acquisition d'une technologie innovante permettant d'augmenter la **productivité**, réduction de certains coûts administratifs, acquisition d'une entreprise qui apportera de nouveaux revenus et des profits supplémentaires, développement d'un nouveau produit qui permettra de surpasser la concurrence, etc.

Pour une société en Bourse ou pour un entrepreneur, les notions d'investissement et d'**innovation** sont importantes. Pour « créer de la valeur », il faut de l'imagination, des moyens, du soutien, autrement dit des idées, de bonnes personnes et de l'argent. Plus de l'un ou de l'autre dans bien des cas, mais on ne crée pas de grandes choses sans courir de risques, sans oser, sans établir une vraie stratégie.

Pour « créer de la valeur », il faut prendre en compte les coûts, les dépenses, les charges, l'endettement et mesurer l'**amortissement** et l'impact réel sur ses activités. Ce qui peut apparaître comme une valeur ajoutée peut finalement être une erreur stratégique si on n'a pas mesuré son effet réel sur ses finances.

Pour l'entrepreneure Kim Auclair, « c'est mettre en place des stratégies pour augmenter la fidélité de ses clients, lancer de nouveaux services afin de répondre à une demande, diminuer les coûts, se démarquer de sa concurrence, gérer l'encaisse, racheter des actions, acquérir des entreprises, etc.[26] ».

The Economist écrit que le concept de « créer de la valeur » est la raison d'être des sociétés. Mais, il est difficile de bien mesurer cet ajout de valeur en raison notamment de la fluctuation des marchés. Le célèbre magazine propose donc de faire le calcul suivant pour arriver à définir la valeur économique ajoutée : profits d'opérations après impôts et autres ajustements moins coût de financement des capitaux investis (**dettes** et **capitaux propres**)[27]. Dirigeants, prêteurs et investisseurs ont ainsi une meilleure idée de la création réelle de la valeur et de la pertinence ou non de verser un boni à un haut dirigeant.

Cela dit, on peut vouloir « créer de la valeur » sociale. L'ajout d'un parc pour enfants dans un quartier peut « créer de la valeur » ou ajouter au mieux-vivre d'une communauté. Pour beaucoup d'entrepreneurs de l'économie sociale (voir page 177), « créer de la valeur », c'est améliorer le monde qui les entoure.

Le jardinier-maraîcher Jean-Martin Fortier et sa conjointe, Maude-Hélène Desroches, ont mis sur pied une ferme à dimension humaine à Saint-Armand, dans les Cantons-de-l'Est, qui produit de façon très efficace des légumes biologiques selon l'approche de la permaculture. Contraction de « permanent » et de « culture », la permaculture a été élaborée dans le but de générer une production durable qui ne détruit pas la nature environnante et qui ne met pas en péril les perspectives pour les générations futures de bénéficier des mêmes ressources utiles, vitales ou énergétiques dont nous profitons actuellement. Dans un livre publié en 2012 intitulé *Le jardinier-maraîcher*, Jean-Martin Fortier explique comment leur modèle d'exploitation apporte de la valeur ajoutée à leurs produits et contribue à une vie saine et en harmonie avec la nature et l'écologie.[28].

Bref, il y a plusieurs définitions du concept de « créer de la valeur », dont l'objectif demeure toutefois fondamental : ajouter, améliorer, bonifier.

L'OR EST-IL TOUJOURS UNE VALEUR REFUGE ?

Il s'est passé trois choses depuis le tournant du 21ᵉ siècle à propos de l'or : premièrement, le prix de l'once est passé de 250 $ à 1900 $, une appréciation considérable qui a mené à, deuxièmement, la chute du prix que plusieurs experts considéraient comme surévalué, allant jusqu'à parler de bulle. Le prix est donc retombé dans une fourchette relativement stable de 1200 $ à 1500 $ l'once. Et puis, troisièmement, tous les grands spécialistes ont pris position : l'or est toujours une valeur refuge selon les uns, l'or n'est plus une valeur refuge selon les autres. Qui a raison ? Un peu tout le monde, probablement. Voici pourquoi.

L'OR D'OCTOBRE 2003 À OCTOBRE 2013

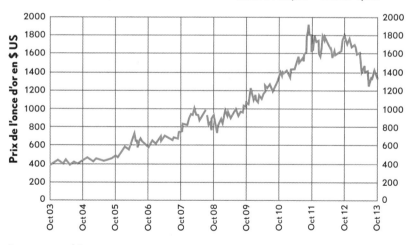

Source : www.kitco.com

D'abord, une valeur refuge, c'est quoi ?

- Avant tout, c'est un type d'investissement qu'on considère comme stable, extrêmement sûr, qui ne peut pas s'effondrer. C'est encore plus sûr que les *blue chips* (action de premier ordre) en Bourse, ces grandes entreprises comme GE ou IBM qu'on considère (ou considérait) comme immuables. Mais, encore là, le risque existe. Après l'effondrement de Lehman Brothers, AIG et GM, comme cela est arrivé en 2008, il n'est plus possible de considérer avec certitude qu'une entreprise en Bourse est une valeur sûre dont l'existence ne sera jamais remise en cause.

- Ensuite, une valeur refuge se caractérise par le fait qu'elle croît quand les autres **actifs** sont en baisse. Si on regarde l'évolution des cours de l'or dans les années suivant le déclenchement de la crise financière de 2007-2008, force est de constater que ce marché s'est comporté comme une valeur refuge. Pendant que tout s'écroulait, le prix de l'or montait : de juin 2007 à avril 2012, le prix de l'once d'or est passé de 650 $ à 1600 $, une progression de 146 %. Durant la même période, l'indice des marchés boursiers mondiaux, le MSCI World, chutait de 18 %[29].

On pourrait dire que quand tout va mal, on est certain, ou à peu près, qu'une valeur refuge est le meilleur endroit pour investir. Quand les attentats terroristes du 11 septembre 2001 sont survenus, le prix de l'or a monté. Le volume de transactions a augmenté, la peur a guidé les investisseurs vers un refuge : l'or. Aux heures les plus sombres de la crise financière, de grands investisseurs se sont aussi réfugiés dans l'or.

L'or, c'est trois choses : un métal industriel, une quasi-monnaie ou un actif financier[30]. La hausse des prix a contribué à une croissance de la production au cours de la dernière décennie et la crise a favorisé l'essor du recyclage de l'or. La demande vient essentiellement des investisseurs à la recherche de pièces et de lingots.

Depuis 2011, toutefois, le prix de l'or recule. On donne plusieurs explications : la reprise économique, la liquidation du précieux métal sur le marché de l'or par des investisseurs qui veulent couvrir leurs pertes sur d'autres actifs ou qui avaient besoin de **liquidités** comme les **fonds de couverture**[31] et, aussi, la hausse du dollar américain liée à l'intervention massive de la **Réserve fédérale** dans les marchés financiers. Les pays émergents et les Européens ont ralenti leurs achats d'or puisque le métal jaune est négocié en dollars américains. Et la hausse du billet vert a rendu l'or moins attrayant[32].

Dans les dernières années, nous avons vu apparaître la certitude qu'il y a d'autres valeurs refuges. C'est le cas des **obligations** américaines et allemandes. Malgré la dette élevée des États-Unis et la « **Grande Récession** », les **bons du Trésor** américains demeurent des placements jugés très sûrs. La Réserve fédérale, par l'achat massif de bons du Trésor et d'obligations adossées à des créances hypothécaires, a largement contribué à la confiance du marché envers les titres de dette des États-Unis. Et puis, au cœur de la tempête européenne sur la dette, l'Allemagne est apparue comme un refuge solide pour les investisseurs.

Ce qu'on constate, c'est que l'or n'agit pas toujours en valeur refuge. D'autres investissements sûrs sont apparus et l'or est aussi tributaire de plusieurs comportements financiers et économiques.

Mais, il y a une chose qui ne changera pas : vous aurez toujours plus de succès en offrant à l'être aimé un bijou en or plutôt qu'un bon du Trésor à 1,5 % à échéance dans 10 ans !

QUEL EST LE COURS DE LA « BRIQUE LEGO » ?

Qui n'a pas passé de longues heures à « jouer aux LEGO » ? L'entreprise estime que chaque année, petits et grands passent cinq milliards d'heures à manipuler les petites briques. Le jeu LEGO aurait existé du temps de Marcel Proust qu'il n'aurait certainement pas eu le temps d'écrire *À la recherche du temps perdu* ! Jouet universel faisant appel à l'imagination et à la créativité, les petites briques LEGO font partie de ces activités ludiques universelles qui défient les générations et les modes.

Pourtant, LEGO a bien changé depuis sa création, en 1949. Les premières décennies, le jeu était simple, voire rudimentaire. Mais aujourd'hui, on a désormais les boîtes LEGO thématiques (Harry Potter, Star Wars, Le seigneur des anneaux, il y a une trentaine de thèmes) et la petite brique se décline désormais en formes miniaturisées et complexes.

L'offre de LEGO est beaucoup plus spectaculaire, ce qui nous donne l'impression que le jeu coûte aujourd'hui plus cher que par le passé. On peut maintenant dépenser jusqu'à 800 $ pour un ensemble LEGO[33]. Mais, croyez-le ou non, le prix d'une pièce LEGO est en baisse. En fait, elle coûte aujourd'hui la moitié du prix d'il y a 20 ans. Voyez ce graphique du cours de la brique LEGO :

LE COURS DE LA BRIQUE LEGO

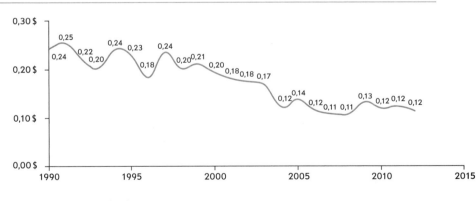

Source : www.brickset.com

Enfants, nous n'avions aucune idée de la valeur d'un ensemble. Comme se fait-il alors que notre perception d'adulte laisse croire que les briques coûtent plus cher ?

Une des raisons possibles est que le nombre de pièces par ensemble a augmenté significativement. En 1980, chaque boîte comptait environ 200 morceaux. En 2013, on atteint une moyenne de 300 morceaux par ensemble après un sommet de 400 pièces en 2008. Pour des jeux plus complets, il semble donc normal qu'il faille débourser davantage. Certains ensembles sont par ailleurs très sophistiqués, comme la série des pièces « modulaires » qui reproduit l'opéra de Sydney ou encore le vaisseau spatial de Dark Vador (3000 pièces). On est loin des maisons rectangulaires en petites briques de plastique de trois ou quatre couleurs.

Il faut ajouter que LEGO a multiplié sa gamme de produits (nous en sommes à 200 ensembles) et qu'en général, les distributeurs tendent à stocker les boîtes qui génèrent du volume et une marge de profit importante. Dans ce cas, pour des raisons d'espace, il n'est pas surprenant que les modèles les moins chers soient laissés pour compte, contribuant à la perception selon laquelle les LEGO coûtent plus cher.

Depuis 2010, la série Serious Play, un ensemble sans modèle à suivre, est utilisée par de grandes organisations comme Verizon et la NASA en vue d'améliorer les méthodes de gestion et de leadership et de stimuler l'innovation, la créativité et l'engagement dans toutes les sphères d'une entreprise. Des facilitateurs professionnels sont maintenant formés à l'école du LEGO Serious Play et le mouvement est désormais mondial[34].

Utiliser les briques LEGO pour faire fondre l'ego, fallait y penser !

CHAPITRE 8

LA BOURSE QUAND ON AIME ÇA BEAUCOUP, BEAUCOUP

OU QUE FAIT VOTRE ONCLE QUAND IL DIT :
« JE GÈRE MES PLACEMENTS, TOUT SIMPLEMENT » ?

QU'EST-CE QUE LA SPÉCULATION FINANCIÈRE ?

La **spéculation** est un concept sur lequel tous ne s'entendent pas. Ce qui est spéculatif pour les uns est une prise de risque louable pour les autres. Nous nous contenterons ici de décrire ce qu'elle est.

Prenons un exemple concret : la Grèce. Quand on a réalisé que ce pays connaissait un problème majeur d'endettement, de grands investisseurs ont commencé à « miser » sur un défaut de paiement. Il se vend dans le marché des **produits dérivés** qu'on appelle en anglais des *credit default swaps* (**CDS**, voir page 135), soit des « couvertures de défaillance » en français. Ce sont des produits financiers qui offrent une protection en cas de **défaut de paiement**.

Étant donné la possibilité grandissante de voir la Grèce dans l'incapacité de respecter ses engagements financiers, des investisseurs se sont procurés massivement ces produits de couverture. En cas de défaut de paiement, l'investisseur allait donc recevoir une compensation livrée par le contrat de couverture signé.

Ce qu'on a constaté toutefois, c'est que ces mêmes investisseurs achetaient en même temps des obligations grecques et misaient contre elles en achetant davantage de CDS. Le résultat est le suivant : en raison des craintes de défaut de paiement, la Grèce doit se financier à coût élevé, donc à taux d'intérêt élevé sur les obligations émises. La crainte d'un défaut de paiement est, en même temps, alimentée par l'achat massif de produits de « couvertures de défaillance ». Dans tous les cas, les investisseurs qui ont acheté les deux produits sont gagnants.

La spéculation financière s'incarne aussi dans les contrats négociés en Bourse sur des denrées ou des ressources. Une bonne partie de ce qui est négocié n'a pas pour objectif d'être livré et consommé. Un courtier à Chicago qui achète du blé n'attend pas une livraison le lendemain. Il en achète, il en vend aussi et il le fait en fonction de l'offre et de la demande sur le marché et en se basant sur les informations qu'il possède. Loin du producteur africain qui cultive son riz ou son coton, de grandes firmes d'investissement s'échangent ainsi des contrats sur des denrées et des ressources et déterminent les prix. Quand les prix montent au point de provoquer des émeutes de la faim, la spéculation financière ne joue certainement pas le bon rôle.

En même temps, la spéculation est décrite, dans les milieux financiers, comme une façon de faire fonctionner le capitalisme, de dynamiser des secteurs et des entreprises en plus d'accroître la richesse. Les spéculateurs courent des risques, ce qui veut dire qu'ils peuvent gagner beaucoup mais perdre énormément aussi. Ils déstabilisent certainement les marchés, mais permettent en revanche à d'autres investisseurs de se protéger contre un risque.

Il faut constater une chose, toutefois : la spéculation financière n'a fait qu'augmenter depuis les années 80. La déréglementation du marché et le développement de produits financiers complexes que s'échangent les grands investisseurs ont donné beaucoup de pouvoir aux spéculateurs. Leur impact sur les prix des denrées alimentaires, tout particulièrement, est préoccupant.

Dans la foulée de la crise financière, un encadrement plus sévère a été discuté au G20 pour obliger les institutions bancaires à maintenir plus de capital en réserve afin de réduire leurs actions spéculatives. Des propositions ont été faites aussi pour amener plus de transparence dans le fonctionnement des fonds spéculatifs, dont la plupart se trouvent dans les paradis fiscaux. Il y a encore beaucoup de travail à faire[1-2].

QU'EST-CE QUE L'EFFET DE LEVIER ?

Vous avez envie d'aménager une belle rocaille afin d'embellir la petite pente pleine de fardoches en face de la maison. Vous avez un défi à relever : au cœur de la rocaille, vous voulez placer une grosse pierre, qui vous semble plus lourde que vous. Qu'allez-vous faire ? Vous allez utiliser votre génie en faisant appel à l'effet de levier. À l'aide d'une autre pierre, vous allez appuyer une barre de fer sur celle-ci pour qu'elle fasse contrepoids à la grosse pierre. Vous allez forcer un peu et hop ! votre grosse pierre va rouler sur elle-même et vous pourrez tranquillement la placer là où vous la voulez.

Avouons que ce n'est pas toujours aussi simple. Mais vous comprenez le principe ? L'effet de levier dans le monde de l'argent, c'est semblable. Le point d'appui dans ce cas-ci, c'est une somme d'argent.

Exemple :
- vous avez 10 000 $;
- vous empruntez 10 000 $ à la banque pour un an à 5 % d'intérêt annuel ;
- total en poche : 20 000 $;
- vous prêtez 20 000 $ à une connaissance à 10 % d'intérêt sur un an ;
- elle vous remet au bout d'un an 22 000 $ en raison d'une somme de 2000 $ en intérêts ;
- vous remboursez votre prêt de 10 000 $ + 5 % d'intérêt, soit 10 500 $;
- votre gain de 2000 $ soustrait de l'intérêt de 500 $ sur votre prêt vous donne donc 1500 $;
- vous avez fait 1500 $ sur votre capital de départ de 10 000 $ grâce à un prêt à moindre intérêt.

C'est ça, l'effet de levier : utiliser de l'argent qui ne vous appartient pas et le faire fructifier en s'appuyant sur une somme d'argent que vous possédez. Votre appui, c'est votre argent à vous. L'effet de ce levier, c'est la capacité de générer un rendement sur l'argent emprunté.

Les experts dans l'effet de levier, ce sont les banques. Elles prêtent des sommes considérables à des particuliers et à des entreprises en utilisant cette technique.

Les firmes d'investissement ont aussi développé une forme d'effet de levier extrême appelée titrisation (voir page 162). En quelques mots, les institutions financières n'attendent pas d'obtenir les remboursements sur les prêts qu'elles accordent. Ces prêts sont transformés en titres de dettes, des obligations en quelque sorte, qui sont vendus sur le marché financier. Débarrassées de la créance, les banques peuvent se servir plus rapidement et plusieurs fois d'une somme de départ pour bénéficier de l'effet de levier.

Tout cela est quand même risqué. Quand la bulle immobilière a éclaté aux États-Unis, de 2006 à 2009, quantité de prêts n'ont plus été remboursés. L'échafaudage de prêts consentis en utilisant l'effet de levier s'est effondré menant de grandes institutions à la faillite, obligeant le gouvernement américain, puis d'autres gouvernements occidentaux, à injecter des milliers de milliards de dollars dans la survie du monde bancaire.

Est-ce que les choses ont changé depuis ? A-t-on réduit les risques associés à l'effet de levier ?

Les accords de **Bâle III** (Bâle est la ville suisse où se trouve la Banque des règlements internationaux) ne sont pas très passionnants pour le commun des mortels. Mais ils sont névralgiques pour la suite des choses. Le **Conseil de stabilité financière**, dirigé par le Canadien Mark Carney (aujourd'hui gouverneur de la Banque d'Angleterre), ainsi que le G20 ont établi de nouvelles règles pour l'utilisation de l'effet de levier. Dorénavant, les plus grandes banques américaines devront maintenir un montant plus élevé en fonds propres afin de se prémunir contre un coup dur. Autrement dit, elles doivent maintenir dans leurs coffres assez d'argent pour faire face à un accident de parcours.

L'effet de levier demeure une opération nécessaire pour faire tourner la roue financière, mais cela demeure tout de même une opération risquée. Malgré les accords de Bâle, le danger d'une autre crise financière existe encore.

QU'EST-CE QU'UN FONDS DE COUVERTURE OU *HEDGE FUND* ?

C'est un monde où la règle est simple : il faut obtenir du rendement. Les **fonds de couverture**, qu'on appelle aussi **fonds spéculatifs** ou *hedge funds* en anglais, ont pour objectif d'investir dans tout ce qui est légalement possible dans le but de faire le maximum d'argent possible. Les fonds de couverture misent sur les actions, les obligations, les devises, l'immobilier, les **produits dérivés** et d'autres types d'investissements risqués et complexes.

Le mot « couverture » (*hedge* en anglais) est employé pour exprimer la technique utilisée par ces fonds qui est celle de couvrir, de protéger en quelque sorte leurs investissements en utilisant différents outils disponibles dans le monde du placement : **vente à découvert**, **effet de levier**, **option de vente ou d'achat d'actions** (**produits dérivés** sur défaillance de crédit, plus communément appelés *credit default swaps* ou CDS), pour ne nommer que ceux-là.

Simplement, les fonds de couverture prennent des « positions longues » et des « positions courtes ». Une « position longue », c'est l'achat d'actions : on mise sur leur hausse, c'est simple. Une « position courte », c'est emprunter des actions à un courtier pour les vendre sur les marchés. À ce moment-là, l'investisseur mise sur la baisse de valeur des actions empruntées pour pouvoir les acheter et les remettre au courtier qui vous les avait prêtées. Le courtier, lui, se paie en touchant un intérêt sur le prêt qu'il vous a fait. Exemple : Claude emprunte 100 actions à Jacques et les vend 10 $ chacune à la Bourse. Au bout de 90 jours, l'action est à 8 $, il en rachète 100 et les remet à Jacques. Claude a donc réalisé un profit de 2 $ par action, 200 $ au total moins les intérêts payés à Jacques.

Les fonds spéculatifs peuvent utiliser ces stratégies parce qu'ils ne sont pas soumis aux mêmes règles que les **fonds communs de placement**. Au moment d'écrire ces lignes, ces fonds ne sont pas encadrés par la Securities and Exchange Commission (SEC) aux États-Unis, qu'on pourrait considérer comme l'équivalent de l'Autorité des marchés financiers (AMF) au Québec.

Il en résulte que l'argent investi dans les fonds de couverture est moins liquide que celui placé dans les fonds communs. Autrement dit, il est difficile de sortir rapidement son argent des *hedge funds* alors qu'on peut vendre ses actions investies dans un fonds commun à n'importe quel moment. Cela laisse beaucoup de marge de manœuvre aux gestionnaires de fonds spéculatifs, qui peuvent ainsi courir plus de risques et jouer gros sur de jeunes entreprises au fort potentiel.

Autre différence avec les fonds communs : les dirigeants des fonds de couverture vont toucher, en rémunération, une partie du **rendement** obtenu en plus de frais de gestion allant de 1% à 4% de la valeur nette des actifs du fonds. En d'autres mots, le revenu des gestionnaires est directement proportionnel au rendement et à la valeur des actifs. Cette façon de faire entraîne des prises de risque plus importantes que dans les fonds communs de placement.

Il faut bien connaître les marchés pour investir dans les *hedge funds*. Et il faut de l'argent aussi. En vertu de la loi américaine, la valeur nette d'un investisseur qui s'intéresse à ces fonds doit dépasser un million de dollars[3].

Les fonds spéculatifs gèrent plus de 2000 milliards de dollars américains d'actifs sur la planète[4]. Mais, leur popularité s'est stabilisée depuis la **crise financière**, qui en a fait mourir plusieurs centaines, et le scandale financier de Bernard Madoff. Néanmoins, leur présence est majeure dans les marchés et leur comportement demeure controversé. Ils achètent et vendent brutalement. Leurs interventions sont dangereuses pour le système financier mondial, selon plusieurs.

Il y a plus de 7000 fonds de couverture dans le monde (voir à la page suivante), 70 % sont dans les îles Caïmans, un paradis fiscal[5].

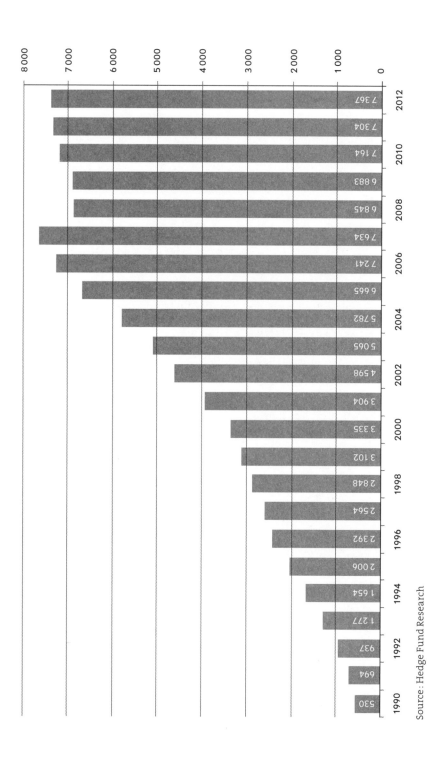

NOMBRE DE FONDS DE COUVERTURE (*HEDGE FUNDS*) DANS LE MONDE, 1990-2012

Année	Nombre
2012	7 367
2011	7 304
2010	7 164
2009	6 883
2008	6 845
2007	7 634
2006	7 241
2005	6 665
2004	5 782
2003	5 065
2002	4 598
2001	3 904
2000	3 335
1999	3 102
1998	2 848
1997	2 564
1996	2 392
1995	2 006
1994	1 654
1993	1 277
1992	937
1991	694
1990	530

Source : Hedge Fund Research

QU'EST-CE QUE LA TITRISATION ?

Ne tournez pas la page mais, plutôt, accrochez-vous. C'est la clé pour comprendre la **crise financière** qui a fait vaciller le monde et vos retraites en 2008.

La titrisation, c'est deux choses :

1. C'est un moyen pour une institution financière de se débarrasser d'un prêt qu'elle vous a consenti – et donc d'une créance – dans le but de faire plus d'argent. Plutôt que de conserver la créance dans son bilan, l'institution la vend à une autre entité, par exemple à un gestionnaire de **fonds spéculatif** (ou *hedge fund* – voir page 159). Ce gestionnaire rachète ainsi une série de créances et crée un fonds qui comprend un ensemble de crédits (prêts hypothécaires, prêts étudiants, découverts de cartes de crédit, etc.).

2. La titrisation permet surtout de noyer de mauvaises créances dans un bassin de créances de toutes sortes. Et il est fort possible que ce dernier renferme un mélange toxique.

Voici un exemple très clair lu dans *Alternatives économiques* : « Imaginons que vous avez prêté 200 000 $ à un ménage peu fortuné du Nouveau-Mexique pour acheter sa maison. Vous allez revendre ce prêt sur les marchés financiers comme on vend un titre financier, par exemple une action ou une obligation, d'où le mot titrisation. L'acheteur du prêt (un autre organisme financier le plus souvent) hérite de la créance et du risque qui l'accompagne. Et vous, vous avez récupéré de bons dollars sonnants et trébuchants que vous allez pouvoir prêter à nouveau, en attendant de titriser ce nouveau prêt à son tour[6]... »

Autrement dit, vous prêtez de l'argent, vous vendez la créance, vous récupérez ainsi votre somme que vous pouvez de nouveau prêter, pour ensuite revendre la créance, retrouver votre somme et prêter encore : ainsi tourne la roue sans fin de la titrisation...

Pourquoi une institution financière veut-elle ainsi sortir un prêt hypothécaire de ses livres ? Pour éviter de devoir mettre des réserves supplémentaires de côté afin de se protéger d'un défaut de paiement possible. En se débarrassant de leurs créances, les institutions peuvent ainsi offrir d'autres crédits, toucher d'autres intérêts et faire plus de bénéfices. Ce marché a atteint une valeur de 11 000 milliards de dollars en 2006[7]. Avec la crise, ce marché a chuté de façon spectaculaire mais la valeur de la titrisation remonte depuis, malgré les nouvelles règles adoptées pour s'assurer que les institutions financières maintiennent plus de capitaux en réserve[8].

Bien ficelés comme des rôtis, puis découpés en tranches qu'on revend sur le marché, les fonds de crédits adossés à des actifs créés peuvent devenir opaques, complexes et très risqués. Surtout, ils peuvent devenir extrêmement dangereux quand les agences de notation leur octroient la meilleure notation de crédit possible, comme cela s'est produit en 2007 pour une raison encore inexpliquée aujourd'hui.

Au Canada, on a nommé ces fonds « papiers commerciaux adossés à des actifs » (PCAA). La Caisse de dépôt et placement du Québec en possédait pour 13 milliards de dollars en 2007. Mais ces papiers commerciaux étaient garantis par des prêts immobiliers risqués aux États-Unis, ce qu'on a appelé des **subprimes**, et l'éclatement de la bulle immobilière américaine a provoqué l'effondrement de ce marché né de la « titrisation ».

La titrisation a transformé le rôle des banques. Au lieu de simplement faire de l'argent en vous en prêtant, elle a ajouté une nouvelle fonction lucrative : fabriquer des produits dérivés complexes et toucher des commissions auprès d'une clientèle d'investisseurs à la recherche de nouvelles sources de rendement potentiel. Cet engouement a grandi rapidement dans les années précédant l'effondrement de 2008. Spéculation et avidité ont participé à la crise financière la plus douloureuse dans les pays avancés depuis la **Grande Dépression** et la Seconde Guerre mondiale.

POURQUOI ACHETER UNE ACTION D'UNE ENTREPRISE NON RENTABLE ?

Une entreprise doit-elle faire des profits pour valoir des milliards de dollars en Bourse ? C'est la petite révolution dans le monde de la finance qu'ont déclenchée les débuts de l'Internet et l'entrée en Bourse des actions des sociétés reliées à l'Internet.

Rappelez-vous : au milieu des années 90, on ne parlait plus que de « nouvelle économie ». Durant cette période de grande euphorie, l'indice des industries liées à la technologie aux États-Unis, le **Nasdaq**, est passé de 1000 points en 1995 à 5000 points en 2000. C'est ce qu'on a appelé la « bulle Internet ».

À cette époque, plusieurs de ces entreprises étaient cotées en Bourse et ont vu le cours de leur action grimper en dépit du fait qu'elles ne réalisaient aucun profit et que même leurs perspectives d'engranger des bénéfices à moyen terme étaient faibles. Les investisseurs se sont posé ces mêmes questions avec l'entrée en Bourse de Twitter et de Facebook ces dernières années.

Dans les facultés d'administration, on enseigne que le prix de l'action d'une société est traditionnellement basé sur sa capacité à faire des profits, aujourd'hui et dans le futur. Tout cela a été chamboulé avec l'émergence des technos dont le chiffre d'affaires était basé sur le nombre potentiel d'usagers (et de clics) mais qui ne faisaient aucun profit.

On a commencé à dire alors que ce n'étaient pas les profits qui comptaient, mais la capacité à générer des revenus et que les bénéfices viendraient tôt ou tard. Le krach de 2000 a donné raison à ceux qui se méfiaient de ces nouvelles façons de déterminer le prix d'une action en Bourse. La « bulle Internet » a alors éclaté.

Tous les profits réalisés depuis 1995 par les 4300 sociétés du Nasdaq se sont alors volatilisés (150 milliards de dollars). Les lendemains de fête ont été douloureux pendant les cinq années qui ont suivi.

Mais a-t-on appris de la bulle Internet des années 90 ? Analyse-t-on l'entrée en Bourse de Facebook en 2012 et de Twitter en 2013 de la même façon ?

Malheureusement, rien n'a vraiment changé. Au moment d'entrer en Bourse, et en utilisant des méthodes comptables traditionnelles, le groupe de microblogage Twitter a révélé avoir enregistré des pertes de 130 millions de dollars au cours des neuf premiers mois de son exercice. Toutefois, en utilisant une méthode comptable différente mais moins traditionnelle, qui exclut un certain nombre de coûts comme les rémunérations des employés payées en actions (80 millions de dollars dans le cas de Twitter), on arrive à des profits de 31 millions de dollars.

Est-on en train de dire que les employés de Twitter vont travailler pour rien ? Pourtant, c'est le message implicite qu'on envoie aux investisseurs en ne tenant pas compte de ces coûts. Une étude a montré que 80 % des technos dans l'indice boursier américain ont utilisé ce genre de comptabilité en 2011 et 2012[9]. Rien de rassurant... et attention au boursicoteur de fin de semaine !

L'action de Twitter a augmenté de plus de 70 % le premier jour de son activité en Bourse, laissant penser que les investisseurs ont préféré la seconde méthode comptable à la première. Le même phénomène s'était produit en 1995 avec l'introduction de l'action de Netscape, qui avait conçu le célèbre fureteur Internet du même nom.

L'investisseur gourou Warren Buffett a dit : « Je n'investis pas dans ce que je ne comprends pas ! » Autrement dit, la Bourse, ce n'est pas un casino ! Il ne faut pas confondre investissement et spéculation. À moins que vous soyez prêt à tous les risques...

L'ÉMOTION JOUE-T-ELLE UN RÔLE EN BOURSE ?

Derrière chaque transaction boursière, il y a un acheteur et un vendeur. C'était comme ça il y a 100 ans et rien n'a changé depuis, même si de nombreuses transactions sont effectuées à la suite d'un ordre informatique qui se réalise de façon automatique. La Bourse fait grandement appel de nos jours aux **algorithmes**, ce qui ne veut pas dire qu'il n'y a plus d'émotion. Un algorithme, ce n'est ni plus ni moins qu'une suite d'instructions automatisées permettant de résoudre un problème quelconque.

Ce sont 75 % des institutions financières et 95 % des firmes de gestion de placement qui font appel à des algorithmes, selon le conseiller financier Fabien Major[10]. Ce système est un outil pour ces entreprises et fait partie de leur stratégie d'investissements. La programmation de ces algorithmes est faite par des humains, nous rappelle M. Major : « Les humains vont dire que dans telle ou telle circonstance, il faut vendre ou acheter, on peut prendre des positions d'acheteurs ou de vendeurs. Surtout, ça répond à deux émotions de base : la peur de perdre et l'envie de gagner. »

En fait, l'ordinateur répond à une commande. On a déterminé un jour qu'une situation X devait se traduire par une réaction Y et qu'une autre situation devait nous amener à réagir d'une façon particulière. Quand une raffinerie de pétrole prend feu dans le sud des États-Unis, que ce soit un humain qui lance un ordre de transactions ou un ordinateur programmé pour le faire, le résultat est le même : la possibilité de voir l'offre de pétrole réduite du fait de l'incendie suscite l'« espoir » d'une hausse des prix et, donc, d'un gain potentiel pour les investisseurs. Le courtier devant son ordinateur ou l'ordinateur programmé pour réagir à une situation donnée feront la même action : on vend et on achète en fonction d'une information.

La crainte d'un défaut de paiement aux États-Unis, en 2011 puis en 2013, a provoqué la baisse des indices boursiers. Pourquoi ? Parce qu'un tel événement pouvait entraîner une chute de la confiance envers les États-Unis et la valeur refuge que représente le dollar américain et, à l'intérieur du pays, une hausse des coûts d'emprunt, des pertes d'emplois, une réduction de la consommation, un ralentissement des investissements des entreprises et une baisse de leur rentabilité. Avant même que tout cela commence à se réaliser et qu'on ne sache si ça va vraiment se produire, les indices boursiers sont en recul. Pourquoi ? Parce que la peur est au rendez-vous. La peur d'avoir peur, en fait ! C'est une émotion pure et simple, qu'elle soit vécue en direct ou programmée.

Autre exemple : vous achetez des actions d'une entreprise 20 $ chacune. Vous dites à votre courtier : « À 30 $, on vend. » Il place donc un ordre automatisé sur votre demande. Pourquoi 30 $? Parce que vous jugez qu'à ce prix-là, le gain est appréciable, qu'ensuite c'est trop risqué, que la valeur par rapport aux profits est assez élevée, etc. Vous avez donc « peur » qu'au-delà de 30 $, l'entreprise coure un risque de dérapage, qui serait suivi d'une dégringolade boursière provoquée, elle aussi, par une émotion qui pourrait s'approcher, dans certains cas, de la panique.

Là où on croit que l'ordinateur contrôle tout, c'est quand il provoque la chute brutale d'un indice, comme cela s'est produit le 6 mai 2010, jour du *flash crash* à New York. En quelques minutes, l'indice Dow Jones a perdu près de 1000 points avant d'en regagner 600. Une quantité importante de transactions, programmées en fonction du système algorithmique, ont eu lieu à la suite d'une transaction inhabituelle d'une grande firme de fonds communs de placement[11]. Cet événement a attiré l'attention sur ce qu'on appelle les transactions à haute fréquence, des ordres de vente et d'achat qui se font à une vitesse folle.

MENTOR, MÉCÈNE, ANGE FINANCIER, ACTIONNAIRE OU INVESTISSEUR ?

L'argent ne pousse pas dans les arbres, mais il y a des gens qui donnent, investissent, prêtent, achètent et placent leur argent. De celui qui injecte des sommes dans une cause à celui qui cherche à obtenir un bon **rendement**, il y a différents types d'intervenants dans le merveilleux monde du dollar.

Mentor, mécène, ange financier, actionnaire ou investisseur ? Cette question en regroupe plusieurs que vous vous posez. On les a rassemblées ici pour définir et mieux distinguer ces cinq types d'acteurs. Les termes qui les distinguent sont souvent utilisés dans le monde des affaires. Qui donne ? Qui investit ? Qui fait quoi ? Et pourquoi ? Voici quelques éléments de réponse.

MENTOR : il apporte de son expertise, il accompagne, il guide, il oriente. Il n'est pas là pour donner une partie de son argent à une cause, il agit plutôt comme un sage pour conseiller une personne moins expérimentée, ouverte à recevoir des propositions, qui lui fait confiance[12].

MÉCÈNE : une personne qu'on appelle un mécène donne de son argent à une œuvre. On associe souvent ce mot au monde des arts, où une riche personne du monde des affaires décide de léguer une partie de sa fortune à un musée, à un orchestre, à une troupe de danse ou à un réseau d'artistes en arts visuels. Ce ne sont là que quelques exemples. Un mécène peut agir dans d'autres secteurs, comme l'éducation ou la santé. Il semble y avoir une petite distinction entre mécène et philanthrope. Selon *Le Petit Robert* et *Le Petit Larousse*, le philanthrope cherche à « améliorer le sort matériel et moral des hommes » et « agit de manière désintéressée. » Le mécène quant à lui apporte une « aide » matérielle et financière mais « sans contrepartie directe », indique *Le Petit Robert*. L'intention derrière le geste semble distinguer le mécène du philanthrope[13].

ANGE FINANCIER : comme le mentor, il a de l'expérience et, comme le mécène, il a de l'argent. Ce qu'il veut, c'est courir un certain risque, investir dans une jeune entreprise qui a besoin de capital pour croître. Il souhaite que son investissement rapporte. Il y a au Québec un organisme appelé Anges Québec[14]. Au Canada, selon la National Angel Capital Organization, les anges financiers investissent un milliard de dollars par année. Cela représente les deux tiers des investissements de fonds en capital de risque. Aux États-Unis, on compterait 225 000 anges financiers qui investiraient deux fois plus que les fonds de capital de risque, selon l'Angel Capital Association et l'Organisation de coopération et de développement économiques (OCDE)[15].

ACTIONNAIRE : c'est celui qui investit dans une entreprise en achetant des actions de la société. Il s'agit d'un investissement qui peut comporter différents degrés de risque. Le premier objectif de l'actionnaire n'est pas d'améliorer le sort de l'humanité ou de soutenir une entreprise : il est là pour apporter son capital en acquérant des actions d'une société et en retirer un profit.

INVESTISSEUR : c'est probablement la notion la plus vaste des cinq termes qu'on cherche à définir. On peut investir dans de la machinerie et des équipements pour améliorer sa production. On peut investir dans l'immobilier en achetant un triplex ou encore investir en bourse en achetant des actions. Il y a, dans tous les cas, un placement de **capitaux** qui se fait dans l'objectif d'en tirer un rendement.

POURQUOI LA MUSIQUE EN LIGNE APPAUVRIT-ELLE LES MUSICIENS ?

Internet a révolutionné le modèle d'affaires pour la vente de musique en diminuant les coûts d'acquisition pour le consommateur et en court-circuitant les intermédiaires. Cette situation n'est pas étrangère aux changements observés dans le marché immobilier. Autrefois, seul l'agent immobilier avait la liste des maisons à vendre sur le marché. Aujourd'hui, on peut acheter une maison en faisant affaire directement avec le propriétaire vendeur.

C'est cette même transformation du modèle d'affaires que l'on observe au Québec quand des auteurs populaires comme Arlette Cousture et Marie Laberge décident de vendre leurs livres numériques sans intermédiaire, au grand dam du monde de l'édition.

Internet et le numérique ont complètement chambardé le modèle qui consistait pour l'écrivain ou le musicien à créer son œuvre et à s'en remettre à de nombreux intermédiaires (imprimeur, distributeur, grossiste, détaillant) pour livrer son travail au consommateur. Internet a mis à mal cette chaîne alimentaire de façon dramatique. Aujourd'hui, Marie Laberge peut vendre son livre directement à ses fidèles lecteurs via son site Internet, ce qui lui permet d'augmenter ses profits.

Mais il y a un hic : cela ne fonctionne que pour les écrivains très connus dont les lecteurs sont « gagnés » d'avance et n'attendent que le prochain livre de leur romancière préférée. Pour les autres, Internet ne semble pas avoir eu les impacts positifs escomptés.

La vente de musique en ligne est un bon cas d'espèce pour illustrer cette situation.

À l'époque du microsillon ou du CD, l'artiste pouvait espérer gagner sa croûte décemment en vendant ses albums. Internet a instauré un nouveau modèle d'affaires en décuplant le choix pour l'amateur de musique, mais en faisant fondre la marge bénéficiaire de l'artiste. La manne promise ne s'est pas matérialisée.

Des sites extrêmement populaires comme iTunes ne versent que de 12 à 20 % du fruit des ventes à l'artiste. Pour une chanson vendue sur iTunes, l'artiste ne reçoit qu'environ 20 cents. Et, de cette somme, il faut déduire les coûts (studio, techniciens, instruments de musique, etc.). La part d'Apple sur cette vente est de 40 cents et celle de la compagnie de disque de 60 cents.

Il y a aussi les sites de radio Internet qui diffusent de la musique en flux continu. L'entreprise qui domine ce secteur est la Suédoise Spotify. Dans ce cas, on ne télécharge pas la chanson sur son ordinateur, sa tablette ou son téléphone intelligent : on ne paie que pour écouter la chanson. C'est ce qu'on appelle en anglais le *music streaming*.

Ce nouveau service donne un autre accès extraordinaire aux musiciens, mais il les rémunère chichement. Pour une pièce jouée une fois, l'interprète reçoit un dixième de cent (0,001 $) ! Selon certains calculs, il faut environ 50 000 écoutes sur Spotify pour obtenir les mêmes redevances qu'avec un CD[16]. En matière de profit, il faudrait 15 000 écoutes pour générer les mêmes bénéfices qu'avec la vente d'un seul CD[17].

Avant l'ère d'Internet, la vente de musique était simple : on produisait un bien à un certain coût et on y ajoutait une marge de profit pour arriver à un prix de vente. Simple comme bonjour !

Aujourd'hui, les sites d'écoute en ligne ne vendent rien de tangible. Ils vendent un « accès ». Et nous, consommateurs, achetons quelque chose que nous ne posséderons jamais. Voilà une sacrée transformation d'un modèle d'affaires, n'est-ce pas ? Et ce ne sont pas les musiciens qui en sortent gagnants, loin de là.

CHAPITRE 9

LE MONDE DES ENTREPRISES

OU EST-IL VRAI QU'ON PEUT FAIRE
PLUS AVEC MOINS ?

QU'EST-CE QUE LA PRODUCTIVITÉ ?

Quand on ne comprend pas très bien ce qu'est la **productivité**, on dit que c'est faire plus avec moins !

Bien qu'il soit possible de constater cette situation dans certaines entreprises, cela ne veut pas dire qu'on améliore sa productivité quand on demande à moins de travailleurs de produire plus, ou quand on réduit les ressources financières tout en exigeant une hausse de la production.

La productivité, c'est la capacité de mieux produire. Comment rendre le travail d'une équipe de travailleurs plus efficace, plus productif, plus rentable ? Accorder une pause supplémentaire à des travailleurs peut améliorer leur niveau de concentration et leur capacité de production parce qu'ils auront eu le temps de se reposer, de refaire leurs forces, de régénérer leurs capacités intellectuelles.

Pour une entreprise, acheter une nouvelle technologie a souvent pour but d'améliorer le processus de production et son intensité. Si une chaîne de montage, gérée par une équipe de travailleurs, réussit à produire 20 % plus de berlingots en carton à l'heure, on vient d'augmenter la productivité.

Exemple : vous avez un travailleur dans votre usine qui gagne 17 $ de l'heure. Il assemble les pièces servant à former une petite lampe de table. Le procédé est efficace : il en assemble cinq à l'heure. Votre entreprise fait un **bénéfice** de 20 $ par lampe, une fois les coûts de production pris en compte. Alors, 5 x 20 $ = 100 $ de bénéfice à l'heure.

Votre fournisseur de pièces vous dit qu'il est en mesure de réduire le nombre de pièces nécessaires au montage de la lampe, ce qui entraînera un assemblage plus rapide. Toutefois, votre bénéfice par lampe est réduit à 18 $, puisque le nouveau procédé coûte un peu plus cher. Vous constatez toutefois que votre travailleur peut maintenant assembler six lampes à l'heure. Résultat : 6 x 18 $ = 108 $ de bénéfice à l'heure.

Notre employé, payé 17 $ de l'heure, assemblait cinq lampes pour un bénéfice de 100 $ de l'heure. Il en assemble maintenant six pour un bénéfice de 108 $. La productivité, qui est la production par heure de travail, a augmenté de 8 $. En pourcentage, nous avons donc une augmentation de la productivité de 8 %.

À l'échelle de l'économie tout entière, la productivité est basée sur le même principe que notre exemple des lampes de table. On prend ce que l'ensemble de l'économie produit (le **PIB**) et on divise le tout par le nombre d'heures effectuées par tous les travailleurs. C'est ce qu'on appelle la productivité du travail. Et, comme pour les lampes, quand chaque travailleur produit davantage, la productivité s'améliore.

Les entreprises canadiennes ont eu du mal à augmenter leur productivité au cours des dernières décennies en raison d'un élément principal : la faiblesse du dollar canadien. Au début des années 2000, vendre aux États-Unis un produit à 1000 $ américains pouvait rapporter 1300 $, 1400 $, 1500 $, voire 1600 $ canadiens. Ces dernières années, la hausse des cours du pétrole a contribué à une montée en force du dollar canadien.

Quand le dollar canadien était faible, les entreprises exportatrices avaient un avantage concurrentiel qui ne les encourageait pas à améliorer leur productivité. Les entreprises n'avaient pas d'incitation à investir dans la recherche et le développement (**R&D**) et la faiblesse du dollar canadien rendait l'acquisition de nouvelles technologies étrangères trop chères pour une entreprise d'ici, qui préférait trouver d'autres solutions pour améliorer sa rentabilité.

Cette explication n'est pas complète car, bien sûr, il y a d'autres facteurs. Mais, au final, la productivité au Canada est une des plus faibles des pays de l'OCDE[1]. De plus, face aux États-Unis, notre productivité, qui était à 90 % de celle de nos voisins dans les années 80, n'est plus aujourd'hui qu'à 75 % de celle de l'Oncle Sam.

QU'EST-CE QU'UNE ENTREPRISE FERMÉE ET UNE ENTREPRISE OUVERTE ?

On ne parle pas ici des heures d'ouverture d'un commerce, mais bien du statut de propriété d'une entreprise. Ouvertes ou fermées, les entreprises sont identifiées ainsi comme étant en Bourse ou non.

Une société ouverte est une entreprise qui offre des actions au public investisseur sur un marché. Les **investisseurs** négocient, achètent et vendent ces actions sur un marché donné, par exemple la Bourse de Toronto. Si vous avez un REER composé de fonds communs de placement, il y a donc dans votre portefeuille d'investissements des dizaines de sociétés ouvertes.

Ce type d'actionnariat permet à une entreprise d'obtenir des liquidités à la vente publique d'une partie de ses actions ou à l'émission de nouvelles actions. Une entrée en Bourse, c'est ce qu'on appelle un **premier appel public à l'épargne**. De grandes entreprises sont en Bourse, comme Rona, CGI ou Couche-Tard chez nous ou McDonald's, General Electric ou Wal-Mart à New York. Mais, il y a aussi toute une ribambelle de petites sociétés dont la rentabilité est plus instable, qui appartiennent au secteur énergétique, minier ou biopharmaceutique très souvent, et qui sont cotées à la Bourse TSX de croissance, une division du groupe TMX (qui regroupe notamment les Bourses de Toronto et de Montréal). Les investisseurs qui achètent des actions de ces sociétés courent des risques plus grands que normalement. La valeur des actions est généralement faible, sous la barre de 1 $ très souvent.

Une société fermée ne compte qu'un seul **actionnaire** ou quelques-uns. C'est une entreprise qui n'a pas émis d'actions sur un marché et qui n'a donc pas fait appel au public investisseur. La très grande majorité des entreprises sont des sociétés fermées. C'est le cas de votre voisine, qui fait de la traduction dans son bureau et qui est travailleuse autonome. C'est le cas du dépanneur du coin, qui appartient à la famille Bouchard depuis des générations. C'est le cas aussi de plus grandes entreprises comme les Rôtisseries St-Hubert ou Porter Airlines (en 2013 du moins).

Une société fermée peut devenir une société ouverte. Un exemple : l'entreprise BRP – Bombardier Produits Récréatifs – a été fondée en 2003 lors du détachement des activités de fabrication de motomarines et de motoneiges du géant du transport ferroviaire et aérien Bombardier. Jusqu'en 2013, BRP est restée une société fermée appartenant à trois groupes : la famille Bombardier, le fonds américain Bain Capital et la Caisse de dépôt et placement du Québec.

Le 17 avril 2013, BRP a émis ce qu'on appelle un prospectus provisoire, un document qui a pour objectif d'aviser les autorités qui gèrent le secteur des valeurs mobilières de l'intention pour une société d'entrer en Bourse. Le 21 mai 2013, le prospectus définitif a été publié avec les détails complets sur le nombre d'actions émises et leur prix de vente. Et BRP est ainsi entrée en Bourse effectuant un premier appel public à l'épargne. Elle est donc passée du statut de société fermée à celui de société ouverte[2].

Vous allez parfois entendre les expressions « société publique » et « société privée ». C'est un calque des expressions anglaises *public company* et *private company*. Parler de « société publique » crée une confusion avec ce qu'on appelle le « secteur public » qui est associé aux activités du gouvernement. Le « secteur privé » est l'ensemble des activités qui n'appartiennent pas à l'État. Rona et St-Hubert font ainsi partie du « secteur privé », mais la première est une « société ouverte » alors que la deuxième est une « société fermée[3] ».

QU'EST-CE QU'UNE ENTREPRISE
DE L'ÉCONOMIE SOCIALE ?

Les médias et les politiciens parlent souvent d'économie sociale comme si c'était évident pour tout le monde. Voici une réponse simple à cette question, mais d'abord une précision : l'expression « économie sociale » n'est pas très bien choisie. L'économie est considérée comme étant une science sociale par plusieurs économistes. Et une entreprise qui n'est pas de l'économie sociale est-elle antisociale ? Pour bien exprimer le cadre des entreprises de l'économie sociale, il serait intéressant de repenser la dénomination de ce secteur.

Cela dit, définissons ce que c'est. Une entreprise de l'économie sociale peut être une coopérative, une association de membres, un syndicat ou une fondation. Selon le Chantier de l'économie sociale, qui a fait adopter en 1996 au Sommet sur l'économie et l'emploi de Lucien Bouchard une définition officielle, ce concept regroupe d'un côté l'idée de production d'un bien ou d'un service qui crée de la richesse et de l'autre, celle de « la rentabilité sociale » qui « s'évalue par la contribution au développement démocratique, par le soutien d'une citoyenneté active, par la promotion de valeurs et d'initiatives de prise en charge individuelle et collective ».

Une entreprise de l'économie sociale a pour objectif « l'amélioration de la qualité de vie et du bien-être de la population » bien avant la rentabilité financière. Ce n'est pas une entreprise étatique ou paragouvernementale. Ce n'est pas une entreprise en Bourse ou à but lucratif. Pour le Chantier de l'économie sociale, ce type d'entreprise défend « la primauté des personnes et du travail sur le capital dans la répartition de ses surplus et revenus[4] ».

Desjardins, qui est la société comptant le plus d'employés au Québec, est la mère de toutes les coopératives et relève de l'économie sociale, même si plusieurs critiquent ses décisions qui sont prises souvent pour tenter de maintenir un rapport concurrentiel avec les banques. La Coop fédérée est une fédération de coopératives agricoles. Les centres de la petite enfance (CPE), le Café Campus à Montréal, le cinéma Beaubien à Montréal également, La Roche à Veillon de Saint-Jean-Port-Joli, la station de radio M105 de Granby et Nature Québec à Québec sont quelques exemples d'entreprises qui font partie de la catégorie de l'économie sociale[5].

Une société comme Rona, par exemple, a pour objectif de faire augmenter la valeur de l'avoir de ses actionnaires et d'agir dans l'intérêt de toutes ses parties prenantes, de l'employé au client en passant par le fournisseur et la **société civile**[6]. Une coopérative comme La Clé des Champs de Saint-Camille détermine son action comme étant une participation à « l'effort collectif visant la souveraineté alimentaire d'une population de proximité ». Elle est membre du réseau de l'Agriculture soutenue par la communauté (ASC), un concept de paniers hebdomadaires produits localement et biologiques où « les deux parties [fermier et consommateur] acceptent donc de partager les risques et les avantages impliqués dans la production[7] ».

L'économie sociale est en croissance, mais plusieurs projets ont du mal à trouver du financement[8]. Par conviction ou parce que c'est une porte d'entrée sur le marché du travail, l'économie sociale est un choix évident pour plusieurs entrepreneurs. Les gouvernements successifs au Québec depuis le milieu des années 90 soutiennent ce secteur. Le gouvernement de Pauline Marois a adopté à l'automne 2013 une loi reconnaissant l'importance de l'économie sociale.

POURQUOI LES GOUVERNEMENTS ONT-ILS « SAUVÉ » LES BANQUES ?

Réponse courte : parce qu'ils n'avaient pas le choix. Mais oui, ils avaient le choix, répondrez-vous, regardez l'Islande ! Bien, prenons les choses une à une.

Premièrement, les États-Unis constituent la première puissance financière et économique du monde. La stabilité de ses banques a une influence directe sur l'ensemble du système financier mondial, ce qui n'est pas le cas de l'Islande.

Deuxièmement, ce petit pays qu'est l'Islande, perdu dans l'Atlantique Nord, a choisi de nationaliser trois grandes banques et le peuple a refusé les plans proposés pour aider les banques privées, qui gèrent les avoirs d'Européens qui ont déposé leur argent en Islande. Si l'Islande a réussi à relancer son économie, c'est peut-être parce qu'elle s'est dissociée du sauvetage des banques privées et peut-être aussi parce qu'elle a dévalué sa devise pour favoriser ses exportations. Mais, quoi qu'il en soit, les choix de l'Islande ont un impact marginal sur la planète financière[9].

Par contre, si le gouvernement américain avait abandonné ses institutions financières, on aurait pu assister à une ruée massive vers les guichets et les comptoirs des banques de citoyens épargnants pris de panique qui auraient alors retiré en peu de temps des milliards de dollars de leurs comptes. Bien sûr, on ne peut pas tirer de conclusions sûres et vérifiables sur ce qui ne s'est pas passé. Mais, il est clair que pour le gouvernement des États-Unis, laisser aller en faillite plusieurs banques aurait eu des conséquences désastreuses. D'ailleurs, Washington a organisé le rachat à rabais de Bear Stearns par JP Morgan en mars 2008[10], mais a laissé couler Lehman Brothers le 15 septembre 2008, provoquant un puissant vent de panique dans le monde financier et en Bourse.

Rappelez-vous... Alors que le marché financier se referme sur lui-même en septembre 2008, le gouvernement de George W. Bush injecte 200 milliards de dollars dans les sociétés de financement hypothécaire Fannie Mae et Freddie Mac, nationalise l'assureur AIG en lui octroyant une aide de 85 milliards en échange de près de 80 % de ses actions et dépose un plan de soutien aux banques de 700 milliards qui sera finalement adopté début octobre après des heures d'affrontements au Congrès. Les banques centrales, dont celle du Canada, participeront à l'effort en offrant des **facilités de crédit** considérables à toutes les banques du monde. Pendant ce temps, un grand pan du monde financier s'effondre. Des sauvetages s'organisent dans plusieurs pays d'Europe[11].

Ce qui a conduit à cette crise aiguë, c'est un « torrent d'argent spéculatif dans le marché des obligations hypothécaires », affirme Hyun Song Shin, professeur à l'Université de Princeton. Cet argent « ne venait pas des épargnes mais du système financier fantôme (*shadow banking*), la complexe variété d'entités financières qui se trouvent en marge du système bancaire normal, notamment les fonds spéculatifs (*hedge funds*), les marchés monétaires et les véhicules d'investissements structurés[12] ». Ces outils financiers portent le nom de produits dérivés (voir page 133). Ils ont permis aux banques de courir des risques inconsidérés et de le faire sans avoir suffisamment de capitaux en garantie. Et de nous conduire à la crise financière que nous avons connue.

Ce qui choque bien des gens, c'est qu'on a l'impression que les gouvernements ont sauvé des banques qui ont couru à leur perte (et à la nôtre) tout en payant grassement leurs plus hauts dirigeants. C'est probablement vrai. De plus, il n'est pas certain qu'une autre crise financière pourrait être évitée. En a-t-on fait assez pour réduire considérablement la prise de risques et la spéculation ?

En même temps, cette frustration – très réelle – du citoyen qui travaille fort pour s'offrir une maison et des loisirs aurait pu se transformer en tragédie si le système financier s'était effondré. C'est en tout cas le fondement de l'intervention massive des gouvernements pour « sauver » les banques.

ET POURQUOI AVOIR « SAUVÉ » LES CONSTRUCTEURS D'AUTOS ?

Les gouvernements américain, canadien et ontarien sont intervenus fin 2008, début 2009, pour soutenir les constructeurs d'autos comme GM et Chrysler, mais cela s'est fait pour des raisons autres que celles évoquées à la page 179 sur les banques. Si l'aide à Wall Street avait pour but d'éviter un effondrement du système financier, l'aide des administrations Bush et Obama aux constructeurs automobiles avait pour objectif de maintenir des emplois – beaucoup d'emplois – et les retraites des employés, et aussi d'assurer l'existence d'une industrie automobile aux États-Unis.

C'est l'un des secteurs clés de l'économie américaine, comptant historiquement pour environ 3 % du PIB. Le Center for Automotive Research (CAR), un groupe d'études et de réflexion sur l'industrie automobile, évalue que 4,5 % des emplois sont liés à la forte présence de l'automobile dans l'économie américaine[13].

Ce sont 60 milliards de dollars qui ont été accordés en prêts et prises de participation en actions aux constructeurs d'autos par le gouvernement américain pour éviter jusqu'à trois millions de mises à pied. GM et Chrysler avaient besoin d'aide pour poursuivre leurs activités et continuer à offrir des prêts aux acheteurs d'automobiles. En décembre 2008, les ventes d'autos aux États-Unis avaient chuté de 37 % par rapport à l'année précédente, un impact de plus d'un point de pourcentage sur le PIB[14].

L'aide gouvernementale a été octroyée en retour d'intérêts, d'actions et de promesses, dont celle de développer plus rapidement des véhicules moins énergivores. Au Canada, le gouvernement évalue qu'il a contribué au maintien de 52 000 emplois[15]. Ottawa et le gouvernement ontarien ont injecté 13,7 milliards de dollars dans le soutien à GM et à Chrysler[16].

Il faudra encore du temps pour évaluer les bénéfices et les pertes enregistrés par les gouvernements dans ces interventions massives. Il est bien possible que les trois administrations ayant aidé l'industrie ne récupèrent pas vraiment leur argent, du moins en regard du prix de vente de leurs actions. Mais, la situation n'aurait-elle pas été pire sans leur intervention ?

« Non, pas nécessairement », a répondu le candidat républicain à l'élection présidentielle de novembre 2012, Mitt Romney. Une restructuration à l'abri de la Loi sur les faillites aurait permis de relancer des entreprises plus fortes qu'elles le sont aujourd'hui, selon lui. Le professeur de droit David Skeel, de l'Université de la Pennsylvanie, affirme que le coût de cette intervention gouvernementale sera plus élevé qu'on pense. Il fait surtout référence au message qui est envoyé : comment, à l'avenir, un secteur économique névralgique du point de vue politique pourra-t-il emprunter de l'argent sur les marchés, sachant ce que le gouvernement américain a fait pour « sauver » l'industrie automobile ? Pourquoi le privé courrait-il des risques puisque le gouvernement peut le faire et qu'il l'a déjà fait dans le passé[17] ?

L'ancien directeur de la restructuration du secteur de l'automobile sous Barack Obama, Steven Rattner, ainsi que l'ancien vice-président de GM, Bob Lutz, d'allégeance républicaine, répondent qu'en 2009, quand tout allait mal, il n'y avait personne dans le secteur privé prêt à injecter de l'argent dans le secteur de l'automobile.

« Les banques étaient dans une situation pire que la nôtre. Qui avait de l'argent ? » a demandé Bob Lutz dans une entrevue au *Detroit Free Press*. Selon le CAR, l'intervention du gouvernement américain a permis de maintenir 1,5 million d'emplois. L'organisme estime que l'effondrement du secteur aurait coûté aux gouvernements environ 100 milliards sur deux ans en perte de revenus fiscaux et en prestations d'assurance-chômage[18].

POURRA-T-ON JAMAIS INVENTER MIEUX QUE LA TOILETTE ?

Nous vivons à une époque formidable où l'innovation n'a jamais été aussi spectaculaire. Nous avons des téléphones intelligents, des tablettes, les imprimantes 3D, la domotique qui nous permet de régler à distance le chauffage de la maison et notre cher GPS qui nous aide à retrouver notre chemin où que nous soyons. Et on ne parle même pas de la voiture sans conducteur qui est à nos portes.

Partout dans le monde, ce sont 1500 milliards de dollars qui sont injectés annuellement dans la recherche et le développement (R&D). Au Canada, ce sont 30 milliards de dollars qui sont investis chaque année par les entreprises, les universités et les gouvernements[19].

Et pourtant, comme le magazine *The Economist* le soulignait récemment[20], personne n'est encore parvenu à inventer un objet aussi utile que notre bonne vieille toilette ! « Des lignes fluides et une interface facile pour l'usager, a écrit le magazine britannique. La toilette a transformé la vie de l'humanité. » Voilà une innovation qui a constitué un vrai progrès.

La toilette est née de l'ébullition innovatrice du début du 20ᵉ siècle qui ne s'est pas limitée, il faut le dire, à la seule chasse d'eau : la vague d'inventions a aussi porté sur l'automobile, le téléphone, l'avion et les antibiotiques, pour ne nommer que celles-là.

Aujourd'hui, malgré toute la frénésie ambiante, plusieurs observateurs sont d'avis que notre progrès technologique est au point mort. On « google », on « facebook » et on « skype », mais est-ce qu'on progresse ?

Au Canada, le rapport Jenkins, publié en 2011, faisait le même constat morose : on invente trop de choses qui ne voient jamais le jour[21]. Mêmes conclusions aux États-Unis où Robert J. Gordon, de l'Université Northwestern, a créé toute une commotion en affirmant, chiffres à l'appui, que nous n'avons finalement eu qu'une seule et unique vague d'innovation fondamentale, soit de 1850 à 1950. C'est celle-ci qui nous a permis de nous protéger du climat, de communiquer à distance et de nous rendre rapidement du point A au point B[22]. On continuera bien sûr à innover, mais le fruit des découvertes n'aura plus rien d'aussi révolutionnaire.

Et si le nombre de chercheurs n'a cessé d'augmenter, ce qui semble- rait contredire le pessimisme de Robert Gordon, l'impact de leurs inventions sur la productivité est beaucoup moins important que du temps de la toilette ou du moteur à combustion. Cette dernière vague d'innovations aurait contribué sept fois plus au progrès techno- logique que les découvertes d'aujourd'hui[23].

Les bonnes vieilles inventions et les progrès de la médecine ont per- mis d'augmenter notre espérance de vie de 25 ans de 1900 à 1980, passant ainsi de 49 à 74 ans. Mais, depuis près de 35 ans, nous n'avons pu ajouter que cinq années à cette espérance de vie. La route pour se rendre à 100 ans est encore longue. Si ça se produit, il y a de fortes chances que notre bonne vieille toilette soit toujours un élément essentiel de notre mobilier !

CHAPITRE 10

ENVIRONNEMENT, ÉCONOMIE ET ÉNERGIE

OU COMMENT EXPLIQUER QUE TOUT ÇA NE DOIT PAS S'OPPOSER ?

QU'EST-CE QUE LE « MAL HOLLANDAIS » ?

Ne vous précipitez pas chez votre médecin : le « mal hollandais », ou « maladie hollandaise », n'est pas une nouvelle souche de la grippe H1N1 !

En fait, en quelques mots, on pourrait dire que le « mal hollandais » caractérise les dommages causés par la montée du dollar canadien depuis qu'il a acquis le statut de « pétro-devise ».

Mais, n'allons pas trop vite. L'origine de l'expression « mal hollandais » provient du malaise économique qui a frappé les Pays-Bas dans les années 70. Et c'est aussi ce qui semble se passer au Canada depuis quelques années.

> **Précision**
>
> Nombre d'économistes s'entendent pour parler de «mal hollandais» au Canada, mais le gouvernement fédéral et la Banque du Canada refusent de qualifier ainsi la situation.

La hausse du cours des prix de l'énergie incite les investisseurs à mettre leur argent dans le secteur des ressources naturelles, ce qui met une pression à la hausse sur le dollar canadien. Cette hausse mine la compétitivité du secteur manufacturier, car, avec un dollar plus fort, il est plus difficile pour ce secteur de vendre ses produits sur les marchés étrangers. Vous voyez le lien ? La croissance canadienne est alimentée par le pétrole, mais le secteur manufacturier subit les contrecoups de la hausse du dollar canadien.

En fait, le secteur manufacturier est en déclin depuis plus d'une décennie et la hausse du dollar n'a fait qu'exacerber les problèmes endémiques qui minaient le secteur de la fabrication au Québec et en Ontario depuis longtemps.

Quand le dollar canadien – affectueusement appelé le huard (l'oiseau sur la pièce) – valait 65 cents américains, il était facile pour les manufacturiers exportateurs d'être concurrentiels car ils bénéficiaient d'un avantage de coût automatique sur leurs concurrents localisés dans les autres pays. Cet avantage favorisait les exportations en provenance du Canada car celles-ci coûtaient moins cher.

Mais, depuis 2002, le prix du pétrole a augmenté de plus de 300 % et le dollar canadien s'est apprécié de 50 % par rapport au dollar américain. Pendant la même période, l'emploi manufacturier au Québec a baissé de 30 % et la part du secteur manufacturier dans le PIB est passée de 21 % en 2002 à 15 % aujourd'hui. Avec un dollar canadien qui valait à peu près la même chose que le dollar américain au cours des dernières années, l'avantage que procurait le taux de change s'est donc volatilisé et certaines entreprises ont trouvé plus profitable de déménager leurs pénates sous des cieux plus cléments.

Bien sûr, on ne peut tenir responsable le « mal hollandais » de tous les maux du secteur manufacturier. Toutefois, certaines recherches montrent qu'environ la moitié des pertes d'emplois manufacturiers depuis 2002 est attribuable au « mal hollandais » (donc, un gonflement de notre dollar à cause du pétrole)[1].

L'autre moitié est due à d'autres « maladies », dont :

1. le « mal chinois » : nos entreprises sont en concurrence avec les Chinois sur le marché américain, notre marché d'exportation traditionnel ;
2. le « mal américain » : la montée du protectionnisme aux États-Unis rend plus difficile pour nos entreprises manufacturières exportatrices de percer le marché américain.

Un examen plus attentif cependant révèle que ce n'est pas tout le secteur manufacturier qui est « malade » mais seulement environ le quart du secteur qui souffre de « hollandite » ! Particulièrement affectés au Québec sont le secteur pharmaceutique et l'industrie du papier journal. En revanche, les industries de l'automobile, des machineries et des produits informatiques semblent se jouer de l'affliction hollandaise[2].

À cause du « mal hollandais », les disparités régionales au Canada s'accentuent et on risque de se retrouver très vite (si ce n'est déjà fait) avec une économie canadienne à deux vitesses : d'un côté, une partie qui « carbure » aux ressources naturelles (Alberta, Saskatchewan, Terre-Neuve) et, de l'autre, un groupe qui vivote et tente de s'agripper à la ceinture de sauvetage manufacturière (Québec, Ontario).

Avec des disparités régionales plus grandes, il deviendra de plus en plus difficile pour le Québec de pouvoir s'offrir des services comparables à l'Alberta selon les paramètres actuels du régime de **péréquation**, dont la croissance a plafonné. Ce sont donc les fondements mêmes du fédéralisme fiscal canadien qui sont ébranlés par le pétrole albertain.

COMMENT LA BOURSE DU CARBONE FONCTIONNE-T-ELLE ?

Qu'est-ce qui est léger comme l'air, mais pèse une tonne ? Qu'est-ce qui est essentiel à toute vie humaine, mais représente un accélérant majeur de la tragédie environnementale actuelle ? Qu'est-ce qui ne coûte rien à produire et qui, si on payait pour l'obtenir, rapporterait des milliards de dollars chaque année ? Mon tout est un gaz à effet de serre.

Il n'y a qu'une seule réponse à ces trois questions: le dioxyde de carbone (CO_2), le gaz à effet de serre malheureusement trop bien connu.

Comme les biens et services, le CO_2 est monnayable. Il existe ainsi un marché du carbone qui fonctionne comme n'importe quelle place boursière : il y a des acheteurs et des vendeurs. Mais, au lieu d'échanger des actions de Cascades, de Domtar ou de CGI, on y négocie des droits d'émission de gaz à effet de serre (GES). Ce marché est basé sur le principe du *cap and trade* : des quotas d'émission sont fixés pour chaque pays et ceux qui n'ont pas épuisé toutes leurs émissions peuvent vendre leur excédent aux pays qui dépassent leurs quotas.

Chaque unité correspond à l'émission d'une tonne de dioxyde de carbone. Cela veut dire que lorsqu'une entreprise achète une unité de droit d'émission de GES, elle achète le droit de polluer pour l'équivalent d'une tonne de CO_2. Et c'est quoi, une tonne de CO_2 ? Bien, c'est 11 500 km en Toyota Prius, 4 100 km en Ford Escape, un aller simple Montréal-Paris et 10 secondes de fonctionnement d'une centrale au charbon.

Supposons un État où il n'y a que deux entreprises qui créent de la pollution. La première année, cet État décrète qu'on ne peut pas émettre plus de 20 tonnes d'émissions polluantes. La société A émet 10 tonnes de CO_2 et a donc un « permis de polluer » de 10 tonnes. C'est également le cas pour la société B.

Pour la deuxième année, l'État décrète qu'il faudra polluer moins, que la nouvelle limite est 18 tonnes et que les deux entreprises ne pourront plus émettre que neuf tonnes de CO_2 chacune dans l'atmosphère. La firme A a eu l'heureuse initiative d'adopter des processus de production écoénergétiques et ses activités ne produisent plus que huit tonnes par année. La société B n'a rien changé à son modèle de production et continue de relâcher 10 tonnes de CO_2 dans l'atmosphère.

La société A peut donc vendre une tonne ($9 - 8 = 1$ tonne) de CO_2 sur le marché du carbone. La société B peut, de son côté, acheter cette tonne, qui représente une réduction des émissions polluantes pour respecter son quota de neuf tonnes permises.

On a évalué que le coût total des permis d'émissions atteindrait entre 60 et 80 milliards de dollars américains par année si les 500 plus grandes entreprises des États-Unis devaient payer leurs permis de polluer à un prix de 30 $ la tonne, le prix moyen observé de la tonne de CO_2 sur les différentes places boursières[3].

Il y a plusieurs Bourses du carbone dans le monde, dont la plus importante est le «système communautaire d'échange de quotas d'émissions» mis en œuvre au sein de l'Union européenne. La Nouvelle-Zélande possède également un marché du carbone très sophistiqué. La Chine compte mettre le sien sur pied en 2015.

En Amérique du Nord, le système d'échanges d'émissions regroupe cinq territoires (Californie, Colombie-Britannique, Manitoba, Ontario et Québec) sous la bannière du Western Climate Initiative. Ces États et provinces visent une diminution de leurs émissions de 15 % par rapport à leurs niveaux de 2005 d'ici 2020.

Le 1er janvier 2013, le Québec a lancé le système québécois de plafonnement et d'échange de droits d'émissions (SPEDE). Harmonisé avec le marché du carbone de la Californie en 2014, le système québécois doit intégrer les importateurs et les producteurs de carburants et de combustibles, l'agriculture et l'industrie des déchets en 2015.

Selon l'OCDE, ce mécanisme ne sera vraiment efficace que s'il s'inscrit dans une stratégie globale et coordonnée de réduction des émissions. C'est un problème mondial, il faut donc, affirme l'organisme, une stratégie mondiale de réduction des émissions de CO_2, dont une Bourse du carbone serait la pierre angulaire[4].

À QUI LE QUÉBEC VENDRAIT-IL SON PÉTROLE ?

Le Québec n'est pas un producteur de pétrole, mais cette situation pourrait bientôt changer. Nous savons que son sol en renferme et des entreprises comme Pétrolia, Junex et Corridor Resources effectuent depuis des années des forages et des travaux d'**exploration** pour en trouver et en évaluer le volume potentiel. Le gouvernement du Québec est favorable à son **exploitation** éventuelle, sous condition d'approbations environnementales, sociales et économiques.

Les **gisements** les plus prometteurs sont à l'île d'Anticosti, en Gaspésie et dans le golfe Saint-Laurent. À l'île d'Anticosti, on compterait de 30 à 40 milliards de barils de pétrole. Mais, selon le géologue Marc Durand, le vrai potentiel exploitable est d'environ un milliard de barils[5]. L'ex-président de Pétrolia, André Proulx, a déjà dit que jusqu'à deux milliards de barils pourraient être récupérés[6].

Le projet Haldimand, près de Gaspé, compte 7,7 millions de barils de pétrole récupérables selon Pétrolia[7]. Et le gisement Old Harry dans le golfe Saint-Laurent, dont 70 % de l'étendue se trouverait en territoire québécois, compterait deux milliards de barils de pétrole. Selon le professeur Jean-Thomas Bernard, de l'Université d'Ottawa, ce gisement permettrait de couvrir les besoins du Québec en pétrole pendant 20 ans. Old Harry est à 80 km des côtes des Îles-de-la-Madeleine et à une centaine de kilomètres de Terre-Neuve[8].

Le Québec veut exploiter ce pétrole « dans une perspective d'indépendance énergétique », indiquait le ministre du Développement durable et de l'Environnement, Yves-François Blanchet, à l'été 2013[9].

Les coûts d'importation du pétrole pour le Québec sont de 10 à 12 milliards de dollars par année, ce qui alourdit son bilan commercial. En 2011, il a importé 120 millions de barils, soit environ 330 000 par jour. Le pétrole est la deuxième source d'énergie la plus consommée au Québec (39 %), tout juste derrière l'électricité (40 %)[10]. Voici d'où provient le pétrole québécois :

Importations de pétrole du Québec (2011)[11]	
Algérie	37,6 %
Kazakhstan	21,5 %
Angola	11,0 %
Norvège	7,9 %
Royaume-Uni	7,4 %
Est canadien	7,2 %
Mexique	4,4 %
Nigéria	1,0 %
Ouest canadien	0,8 %
Autres	1,1 %

Donc, avant d'exporter son pétrole, le Québec voudrait d'abord répondre à sa demande intérieure. Les projets potentiels pourraient répondre aux besoins du Québec pendant plusieurs décennies. L'excédent éventuel pourrait servir à l'exportation. Et le jour viendra où le Québec sera un exportateur de pétrole, selon l'ancien premier ministre Bernard Landry[12]. Il pourrait le faire par train, par bateau ou par oléoduc vers les États-Unis ou d'autres provinces canadiennes. Cela dit, de nouvelles infrastructures seraient nécessaires. Le Québec ne pourrait pas utiliser l'oléoduc qui coule vers Sarnia parce que son exploitant, Enbridge, veut inverser sa direction pour amener du pétrole de l'ouest vers l'est. Un oléoduc pourrait être construit par TransCanada entre l'Alberta et le Nouveau-Brunswick, une installation qui passerait sur le territoire du Québec[13].

Avant de vendre le pétrole à l'étranger, plusieurs étapes doivent être franchies :

- Le Québec doit encore évaluer les coûts et les retombées économiques, le juste potentiel et l'impact environnemental d'une éventuelle exploitation.

- S'il y a exploitation, il faut y mettre un cadre : la part de l'État, la part du privé, les redevances, etc.

- Toujours s'il y a exploitation, les revenus du pétrole doivent-ils servir à développer d'autres projets d'énergie renouvelable pour réduire la dépendance au pétrole ? Doivent-ils aider l'État à maintenir l'équilibre budgétaire ou les place-t-on dans un fonds (exemple : le Fonds des générations), comme la Norvège l'a fait, en demeurant toutefois actionnaire majoritaire de son exploitation ?

QU'EST-CE QUE LA FRACTURATION HYDRAULIQUE ? ET QUE CHANGE-T-ELLE ?

C'est le temps qui nous dira si cette découverte est une révolution ou non. La **fracturation hydraulique** a modifié dans les dernières années la carte énergétique de l'Amérique du Nord, mais, pourrait-on dire, du monde aussi étant donné de l'importance du marché américain. Cette technologie bouleverse la production de gaz et de pétrole, les prix et donne du « carburant » à la puissance mondiale que représentent toujours les États-Unis. Barack Obama s'en sert même pour redorer son bilan environnemental alors que le gaz remplace progressivement le charbon.

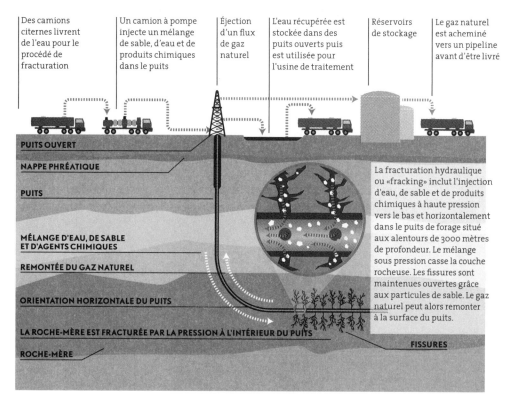

Des camions citernes livrent de l'eau pour le procédé de fracturation

Un camion à pompe injecte un mélange de sable, d'eau et de produits chimiques dans le puits

Éjection d'un flux de gaz naturel

L'eau récupérée est stockée dans des puits ouverts puis est utilisée pour l'usine de traitement

Réservoirs de stockage

Le gaz naturel est acheminé vers un pipeline avant d'être livré

PUITS OUVERT

NAPPE PHRÉATIQUE

PUITS

MÉLANGE D'EAU, DE SABLE ET D'AGENTS CHIMIQUES

REMONTÉE DU GAZ NATUREL

ORIENTATION HORIZONTALE DU PUITS

LA ROCHE-MÈRE EST FRACTURÉE PAR LA PRESSION À L'INTÉRIEUR DU PUITS

ROCHE-MÈRE

La fracturation hydraulique ou «fracking» inclut l'injection d'eau, de sable et de produits chimiques à haute pression vers le bas et horizontalement dans le puits de forage situé aux alentours de 3000 mètres de profondeur. Le mélange sous pression casse la couche rocheuse. Les fissures sont maintenues ouvertes grâce aux particules de sable. Le gaz naturel peut alors remonter à la surface du puits.

FISSURES

Source : www.connaissancesdesenergies.org

La fracturation hydraulique consiste à briser la pierre – le **schiste** – se trouvant généralement à environ 2500 ou 3000 m sous la terre pour que le gaz se dégage et soit capté par des conduits gaziers. L'exploitant effectue un forage horizontal qui traverse différentes couches de terre et de matières calcaires ainsi que la nappe phréatique, qui se trouve à moins de 300 m de la surface de la terre. « La fracturation hydraulique est un procédé d'injection à haute pression d'un fluide ou d'un gaz pour fracturer ou ouvrir des brèches existantes dans les roches-mères d'**hydrocarbures** souterraines », lit-on dans le site des associations gazières du Canada[14].

Ce procédé, affirme l'industrie, est « extrêmement réglementé » mais pas assez, selon plusieurs experts. Cette technique nécessite une utilisation très majoritaire d'eau (environ 90 %), mais aussi d'additifs chimiques (de 0,5 % à 1,5 %, soutient l'industrie) tels que des désinfectants, des gélifiants et des épaississants[15]. Un rapport du Congrès américain rapportait en 2011 que de 2005 à 2009, les 14 principales entreprises de services gaziers et pétroliers des États-Unis avaient utilisé 780 millions de gallons de produits pour la fracturation hydraulique, y compris 95 produits contenant 13 différents cancérigènes[16].

Malgré les incertitudes qui planent à propos des différents impacts de la fracturation hydraulique, plusieurs États américains explorent et exploitent massivement le gaz de schiste et en accélèrent la production. La technique de la fracturation a permis une exploitation de la production gazière aux États-Unis, ce qui fait chuter les prix du gaz mais aussi les prix de l'électricité, étant donné l'utilisation du gaz naturel aux États-Unis dans la production d'électricité.

Le développement de cette technique permet aussi d'atteindre de nouvelles sources de pétrole, cet hydrocarbure étant présent également dans le schiste. Ainsi, selon l'Agence internationale de l'énergie, grâce à ces avancées, les États-Unis seront, en 2020, les premiers producteurs gaziers et pétroliers du monde et, en 2030, un exportateur net de pétrole.

Selon les experts de la banque Citigroup, les États-Unis n'importeront plus bientôt du pétrole que du Canada et du Mexique. La production de pétrole du Canada et des États-Unis devrait passer de 10 millions de barils par jour en 2010 à 22 millions de barils par jour en 2035, grâce à l'exploitation intensive des sables bitumineux de l'Alberta et à une hausse de la production américaine attribuable en bonne partie au pétrole de schiste[17].

Et le Québec dans tout ça ? Le gouvernement Marois a annoncé son intention de permettre une exploitation importante du pétrole. Des projets d'exploitation du pétrole de schiste par fracturation hydraulique pourraient être approuvés à l'île d'Anticosti s'ils respectent les conditions d'acceptabilité sociale et les normes environnementales. Le Bureau d'audiences publiques en environnement (BAPE) doit se prononcer sur les demandes à venir.

QUE SONT LES TERRES RARES ?

Connaissez-vous le praséodyme, le samarium, le dysprosium ou encore l'ytterbium ? Si vous avez répondu non, sachez qu'il y en a peut-être dans votre maison. Ce sont des terres rares, une famille de métaux utilisés dans la fabrication d'objets technologiques, dans l'aéronautique, dans l'électronique et en optique.

Pour solidifier l'acier, pour magnétiser un objet technologique ou pour rendre plus reluisant un verre, on utilise des terres rares. Ces métaux, aux noms étranges et compliqués, sont nombreux et méconnus. Malgré tout, ils sont partout dans notre quotidien. Ils sont particulièrement utilisés dans la production des énergies vertes et dans la haute technologie.

Il y a de ces terres rares dans les téléphones cellulaires, les écrans d'ordinateur, les véhicules électriques, certains alliages aéronautiques, les implants, les lasers, les batteries rechargeables, les éoliennes, les ampoules ultra-efficaces, les radars et différents produits de polissage[18]. On les trouve dans les sols, les minerais, les roches, éparpillés, difficiles à repérer, généralement en faible concentration, de là l'aspect de rareté[19]. On compte 15 éléments de terres rares (les numéros atomiques de 57 à 71) ainsi que le scandium et l'yttrium[20].

C'est en Chine que le développement de cette filière est le plus avancé dans le monde. En fait, c'est essentiellement toute la production et toute la consommation mondiales qui y sont concentrées, à 98 % et à 70 % respectivement. C'est le gisement de Bayan Obo, en Mongolie intérieure, qui fournit l'essentiel de la production chinoise. Les États-Unis, la Russie et quelques autres pays produisent un peu de terres rares. Ils ont déjà été plus actifs par le passé, des années 1970 aux années 2000[21]. La forte production chinoise a fait chuter les prix, poussant plusieurs pays à délaisser cette filière.

GÎTES ET INDICES DE TERRES RARES AU QUÉBEC

Terres rares ●

0 50 100 kilomètres

Source : Ressources naturelles et Faune, Québec

Le Canada possède également des terres rares et plusieurs minières ont l'intention de les exploiter. Le ministère des Ressources naturelles du Québec a répertorié une soixantaine d'endroits où il y a des mines, des gîtes ou des indices de terres rares. Mais il n'y pas d'exploitation. Le ministère évoque quelques secteurs où des terres rares peuvent être exploitées : Oka (mine Niocan), Saint-Honoré (mine Niobec), lac Brisson (Strange Lake du côté du Labrador), lac Misery (Nunavik), Kipawa (Témiscamingue) et Kwyjibo (Côte-Nord). Ailleurs au pays : Thor Lake (Territoires du Nord-Ouest), Lackner Lake, Elliot Lake et Bald Mountain (Ontario) ainsi que Hoidas Lake (Saskatchewan), notamment[22].

Pour l'instant, c'est la Chine qui domine le marché. Mais, le pays a réduit ses exportations et fermé aussi des mines illégales, ce qui pourrait laisser d'autres pays producteurs comme la Malaisie, le Japon et l'Australie prendre une plus grande place. Le monde réduit lentement sa dépendance aux exportations chinoises de terres rares[23]. Et plusieurs experts sont d'avis que ce n'est pas une mauvaise chose.

D'abord, il y a quelques années, on sait que la Chine ne pratiquait pas les mêmes prix dans son marché intérieur qu'à l'exportation. Ses constructeurs d'éoliennes, par exemple, qui ont besoin de néodyme pour produire de l'électricité, ont pu ainsi bénéficier d'un avantage concurrentiel pour se développer.

Et puis, les techniques de séparation des terres rares sont très polluantes et le travail se pratique en Chine dans des conditions misérables. Le défi environnemental de cette filière est considérable[24]. Le Japon met au point en ce moment une technique de séparation plus écologique, soit l'utilisation du sperme séché et broyé de saumon, une matière qui serait, si son efficacité est prouvée, moins toxique et polluante[25].

Bref, voilà pour les terres rares... qui le seront de moins en moins.

LA PATIENCE FAIT-ELLE DIMINUER LE TAUX DE CRIMINALITÉ?

Dans la fable *La cigale et la fourmi* de La Fontaine, la cigale se livrait aux occupations les plus futiles et menait une vie de bohème. Bien imprudente, elle ne faisait pas de provisions pour l'hiver et «Se trouva fort dépourvue / Quand la bise fut venue.» Voilà une belle métaphore des valeurs de la classe bourgeoise juste avant la Révolution française qui met en relief les vertus de la patience afin de récolter les fruits du dur labeur et la confiance d'autrui.

La patience est une vertu qui n'est pas donnée à tout le monde, mais elle a pourtant des avantages exceptionnels qui devraient nous convaincre à jamais de l'entretenir.

La métaphore de *La cigale et la fourmi* s'applique aussi à l'univers de l'économie dans la mesure où les décisions prises aujourd'hui doivent tenir compte des répercussions à long terme. Une bonne politique économique ne donnera pas nécessairement des résultats tangibles à court terme. Il faut avoir de la vision et une bonne dose de patience pour faire avancer des politiques économiques structurantes pour les citoyens.

Par exemple, concernant le dossier des changements climatiques, certaines décisions prises maintenant peuvent avoir un effet qui paraît néfaste à court terme sur l'économie. Mais, à long terme, quel est l'objectif poursuivi? Quelles seront les conséquences d'une absence de décision en faveur d'une meilleure protection de l'environnement? Quelles seront les répercussions pour nos enfants, nos petits-enfants et nos arrière-petits-enfants?

La patience est aussi une qualité qu'on retrouve chez les personnes qui épargnent. Et, en économie, il a été démontré qu'une personne qui se soucie de ce qui arrivera dans le futur, soit pour elle-même (ses vieux jours), soit pour sa descendance (un héritage), ou encore pour l'environnement (l'**empreinte carbone**), aura tendance à épargner davantage qu'une personne qui vit surtout « pour le moment présent ».

Et l'économie nous enseigne aussi qu'une personne économe tend à consommer de manière moins compulsive. Elle saura donc attendre. Tout le contraire, donc, d'un voleur qui convoite et dérobe un butin sur-le-champ.

Une étude novatrice réalisée par des chercheurs italiens a tenté de valider empiriquement pour la première fois cette hypothèse[26]. Les résultats montrent de façon convaincante que lorsque le taux d'épargne diminue, le taux de criminalité augmente. Les résultats indiquent aussi que des prévisions économiques optimistes, synonymes d'un futur plus rose nous incitant à être plus patients, ont pour effet de faire diminuer la criminalité.

Que faut-il donc conclure de tout ça ? Bien, c'est assez simple et ce n'est pas une blague : il ne nous reste plus qu'à payer à tout le monde des cours de gestion du stress et de méditation transcendantale pour faire diminuer le nombre de crimes dans le voisinage !

REMERCIEMENTS

Merci, Sébastien Barangé pour le soutien, l'encouragement et les remises en question. Merci, Édith Hammond pour les idées, Michel Cormier pour l'appui inconditionnel dès le départ, Marie-Pierre Hamel, la bougie d'allumage.

Merci à l'équipe des Éditions La Presse, Caroline Jamet, Martine Pelletier et Yves Bellefleur.

Merci à celles et ceux qui font de la recherche et de l'enquête, du travail de fond pour nous éclairer. Je salue particulièrement le travail d'*Alternatives économiques*. Merci, *Petit Robert* 2011, ami omniprésent sur ma table de travail. Merci, Statistique Canada et Institut de la statistique du Québec pour vos données essentielles. Que ferions-nous sans vous ?

Merci à toutes celles et ceux qui participent à l'émission *RDI économie* que j'anime à sur ICI RDI. Vous répondez à bien des questions et vous participez à une meilleure connaissance des concepts, des enjeux et des impératifs économiques.

Merci à mes parents pour la ténacité, la persévérance, l'encouragement.

Merci à François Delorme, ami et coauteur de ce projet. François, tu donnes toute la solidité nécessaire à ce projet par tes connaissances profondes en économie et en finances publiques. Ce livre m'a surtout permis d'approfondir une amitié sincère.

Merci à vous, lecteurs et citoyens curieux. C'est grâce à vous et c'est pour vous qu'on a eu le goût d'écrire ce livre.

Je dédie ce livre aux gens de Lac-Mégantic, mon coin de pays, là où tout est devenu possible.

Gérald Fillion

Saint-Armand, novembre 2013

• • •

Aux remerciements de Gérald s'ajoutent les miens. En particulier, je tiens à remercier mes collègues de l'Association des économistes québécois, plus précisément Jean-Pierre Aubry, Pierre Fortin et Luc Godbout, avec lesquels j'ai eu l'occasion d'échanger sur certains des sujets abordés dans ce livre. Évidemment, cela ne les engage en rien quant au contenu.

Je ne peux évidemment passer sous silence la contribution anonyme de mes étudiants en sciences économiques à l'Université de Sherbrooke. Sans le savoir, ils ont été les cobayes de plusieurs des concepts qui sont utilisés dans ce livre.

Merci également à Gérald, mon « alter éco », dont les commentaires éclairés et la remarquable intelligence ont rendu ce livre intelligible et pertinent. Un livre écrit à quatre mains, baigné dans l'amitié vraie et le respect mutuel, ne peut que refléter le plaisir que les auteurs ont eu à le rédiger.

Mes remerciements profonds vont à ma femme, Josée Blanchette, pour ses encouragements et son soutien indéfectible tout au long de ce projet. Que ce livre lui soit amoureusement dédié.

François Delorme
Austin, novembre 2013

GLOSSAIRE

OU QUELQUES MOTS SUR QUELQUES TERMES POUR MIEUX COMPRENDRE

ABRI FISCAL
Produit financier ou investissement pour lequel il n'y a pas d'impôt à payer.

ACTIF
Bien physique ou financier qui fait partie du patrimoine d'une personne ou d'une entreprise.

ACTION, ACTIONNAIRE
Une action, c'est une part d'une entreprise en Bourse ou non. L'actionnaire est le propriétaire de l'action.

AGENCE DE NOTATION
Entreprise privée qui note les pays, les provinces, les États, les entreprises, les produits financiers, etc. Standard & Poor's, Moody's, Fitch et DBRS sont des agences de notation.

AGROCARBURANT
Carburant fabriqué à partir de végétaux.

ALGORITHME
Séquence de règles et d'actions programmées pour résoudre un problème. Raisonnement automatisé. Cet instrument est de plus en plus utilisé en Bourse.

AMORTISSEMENT
Payer un achat ou réduire une dette de façon graduelle sur une période donnée.

ASSOUPLISSEMENT QUANTITATIF
Intervention d'une banque centrale qui achète des obligations ou des bons du Trésor pour stimuler l'économie.

BÂLE III

Bâle est une ville de Suisse. C'est là que se discute la réglementation bancaire mondiale. Bâle III est la troisième grande ronde de négociations de nouvelles règles.

BANQUE À CHARTE

Banque qui respecte le cadre réglementaire du gouvernement du Canada et qui a donc, dans les circonstances, obtenu la charte fédérale pour être en activité.

BANQUE DU CANADA

Banque centrale du Canada qui s'occupe de la politique monétaire : établissement du taux directeur, contrôle de l'inflation, émission des billets de banque.

BANQUE MONDIALE

Organisation internationale qui offre des prêts et fait des dons aux pays en développement afin de réduire la pauvreté.

BÉNÉFICE

Profit, excédent pour une entreprise.

BON DU TRÉSOR

Obligation à court terme (un mois à un an) garantie par le gouvernement. Jugé très sûr.

BULLE SPÉCULATIVE

Se caractérise par des prix ou des cours exagérément élevés par rapport à la valeur réelle du produit.

CAPITALISATION

Valeur totale des actions émises en Bourse par une entreprise. Apport d'argent pour financer un projet ou une entreprise.

CAPITAUX PROPRES

Essentiellement l'argent obtenu par une entreprise à l'exception des dettes : le capital de départ, les réserves et les résultats à la fin de l'exercice.

CERTIFICAT DE PLACEMENT GARANTI

Placement qui garantit votre capital à l'échéance. Rendement stable ou variable selon les produits offerts.

CO_2

Dioxyde de carbone. Gaz à effet de serre.

COMMISSION EUROPÉENNE

C'est l'organisme exécutif de l'Union européenne. Par exemple, c'est avec la Commission européenne que le Canada a négocié un accord de libre-échange avec l'Union européenne.

CONFÉRENCE DE BRETTON WOODS

Ville du New Hampshire, aux États-Unis, où ont été signés les accords de 1944 ayant donné naissance au Fonds monétaire international et à la Banque mondiale.

CONSEIL DE STABILITÉ FINANCIÈRE

Lieu où sont coordonnées les décisions de Bâle III, qui encadrent le secteur financier international. Fin 2013, l'organisme était toujours dirigé par le Canadien Mark Carney, aujourd'hui gouverneur de la Banque d'Angleterre.

CONTRAT À TERME

Contrat négocié sur un marché sur un produit avec promesse de livraison à une date donnée.

COTISATION

Prélèvement sur un salaire pour financer un régime de retraite, une couverture santé, un syndicat, etc.

COURTIER

Intermédiaire qui passe des ordres en Bourse ou qui trouve les meilleures offres pour un client.

CRÉDIT D'IMPÔT NON REMBOURSABLE

Crédit gouvernemental si vous payez de l'impôt.

CRÉDIT D'IMPÔT REMBOURSABLE

Crédit gouvernemental que vous payiez de l'impôt ou non.

CRISE FINANCIÈRE

Se caractérise par des problèmes dans les marchés financiers, un gel des prêts entre institutions et du marché du crédit. S'ensuit un ralentissement de l'économie, voire une récession.

DÉBIT

On sort de l'argent du compte, c'est la carte de débit. On sort de l'argent qu'on n'a pas, c'est la carte de crédit.

DÉFAUT DE PAIEMENT

Incapacité de faire un paiement ou un remboursement au moment prévu.

DÉFICIT

Plus de dépenses que de revenus sur une année. Peut être structurel, donc qui laisse entrevoir des déficits qui peuvent difficilement se corriger. Ou conjoncturel, donc attribuable à une situation économique temporaire.

DÉFLATION

Baisse générale des prix. Le taux d'inflation tombe sous la barre de zéro.

DENRÉE

Marchandise destinée à être consommée. Denrée alimentaire.

DÉPÔT

Placer son argent dans un compte d'une institution financière.

DÉPRESSION ÉCONOMIQUE

Chute de la production, hausse importante du chômage, longue décroissance économique, accès difficile au crédit, faillites nombreuses.

DETTE

Ce que vous devez ou ce que votre gouvernement doit aux créanciers.

DETTE BRUTE

Pour un gouvernement, c'est la dette totale sans égard aux actifs.

DETTE NETTE

On tient compte des actifs et on les soustrait de la dette brute.

DIVIDENDE
Somme versée périodiquement aux actionnaires par une entreprise.

DOW JONES
Indice comptant 30 valeurs industrielles à la Bourse de New York, dont Boeing, Exxon Mobil, McDonald's et Wal-Mart.

ÉCONOMIE COMPORTEMENTALE
S'intéresse aux réactions économiques des êtres humains.

ÉCONOMIE SOUTERRAINE
Travail au noir. Travailler sans déclarer ses revenus au fisc. C'est illégal.

EFFET DE LEVIER
Stratégie pour générer du rendement à partir d'un capital de départ.

EMPREINTE CARBONE
Impact sur l'environnement d'une activité industrielle ou personnelle.

ENCAISSE
Liquidités, monnaies disponibles en caisse.

ÉTATS FINANCIERS
Résultats, bilan des revenus, des profits et autres éléments financiers d'une entreprise ou d'un gouvernement.

EXPLOITATION
Mettre en valeur une activité, un produit. Produire un bien, sortir les ressources du sol.

EXPLORATION
Vérifier, tester, rechercher dans le but d'exploiter.

EXPORTATION
Vendre des produits à l'étranger.

FACILITÉ DE CRÉDIT
Montant disponible pour le crédit, pour emprunter à une institution financière.

FAILLITE
Incapable de rembourser ses dettes et de s'entendre avec ses créanciers.

FISC
C'est l'État qui collecte les impôts et les taxes. Revenu Québec. Agence du revenu du Canada.

FONDS COMMUN DE PLACEMENT
Fonds d'actions, d'obligations et autres valeurs mobilières détenues en commun, gérés par des professionnels.

FONDS DE COUVERTURE, FONDS SPÉCULATIFS (*HEDGE FUNDS*)
Fonds d'investissement non conventionnel, dont la prise de risque est élevée.

FONDS DES GÉNÉRATIONS
Fonds du gouvernement du Québec créé en 2006 pour accumuler des sommes destinées au remboursement de la dette à long terme.

FRACTURATION HYDRAULIQUE
Technique de fissuration de la pierre avec l'injection d'un liquide à forte pression. Pour capter le gaz et le pétrole de schiste.

GÉOPOLITIQUE
Étude des effets de la géographie sur la politique et les relations internationales.

GISEMENT
Lieu où on exploite un minerai, une ressource. Gisement de pétrole, gisement de fer, etc.

GRANDE DÉPRESSION
Nom donné à la crise survenue essentiellement de la fin des années 20 à la fin des années 30. Forte chute des prix, de la production et des échanges commerciaux. Forte hausse du chômage.

GRANDE RÉCESSION
Nom donné à la glissade économique engendrée par la crise financière qui s'est accélérée à l'automne 2008. Amorcée en décembre 2007, la Grande Récession s'est terminée en 2009 dans la plupart des pays. D'autres récessions se sont déclarées depuis, en Europe surtout.

HYDROCARBURE
Pétrole. Gaz naturel. C'est de l'hydrogène et du carbone, énergie fossile génératrice de gaz à effet de serre.

HYPERINFLATION
Période généralement définie par un niveau d'inflation dépassant 50 % mensuellement.

IMPORTATION
Acheter des produits de l'étranger.

INFLATION
Hausse des prix.

INNOVATION
Découverte, invention, amélioration technologique, mécanique, médicale, etc. Qui permet d'améliorer la productivité.

INSOLVABILITÉ
N'a plus les moyens de rembourser ses dettes, payer ses factures, respecter ses obligations financières.

INTÉRÊT STRATÉGIQUE
Entreprise ou secteur essentiel au développement économique du pays dont les secrets industriels ne doivent pas être révélés à d'autres pays.

INVESTISSEUR
Personne ou groupe qui place de l'argent dans un marché.

LIQUIDITÉS
Somme, réserve disponible immédiatement.

MARGE
Différence entre le coût d'achat ou de production et le prix de vente.

MONOPOLE
Une entreprise détient ou gère un marché, une offre. Pas de concurrence.

MOYENNE MOBILE
Valeur moyenne d'un titre ou d'une donnée sur une période précise. Ça aide à voir la tendance.

NASDAQ
Bourse électronique à New York composée de sociétés technologiques.

NOTE SOUVERAINE
Note de crédit d'un pays.

OBLIGATION
Titre de dette d'un pays, d'une province, d'un État, d'une entreprise, qui porte un intérêt et une échéance.

OPTION D'ACHAT ET DE VENTE
Produit dérivé dont le prix d'achat ou de vente est déterminé à l'avance et que le propriétaire peut exercer (c'est-à-dire procéder à l'achat ou à la vente) quand bon lui semble.

PARITÉ
Égalité de valeur entre deux monnaies.

PAYS ÉMERGENT
Pays en voie de développement dont la croissance s'accélère rapidement. Brésil, Inde, Chine, Afrique du Sud, notamment.

PAYS EN VOIE DE DÉVELOPPEMENT
Pays dont le développement n'a pas atteint celui des pays avancés et riches.

PENSION DE VIEILLESSE
Sécurité de la vieillesse accessible à 65 ans (67 ans à partir de 2029) au Canada. Allocation du gouvernement fédéral.

PÉRÉQUATION
Système de paiements visant à réduire les inégalités de services publics (santé et éducation entre autres) entre les provinces.

POLITIQUE MONÉTAIRE
Ensemble de décisions prises par la Banque du Canada : établissement du taux directeur, contrôle de l'inflation, émissions de billets.

POPULATION ACTIVE
Gens en emploi, travailleurs autonomes, chômeurs à la recherche active d'un emploi.

PREMIER APPEL PUBLIC À L'ÉPARGNE

Première émission d'actions d'une entreprise en Bourse.

PRESTATION

Allocation ou rente provenant d'un programme social ou d'un régime de retraite.

PRODUCTIVITÉ

Ce qui est produit par heure de travail.

PRODUIT DÉRIVÉ (*CREDIT DEFAULT SWAPS – CDS*)

Produits financiers complexes créés en marge de la fonction fondamentale des marchés qui est celle de négocier des actions, des obligations, des devises.

PRODUIT INTÉRIEUR BRUT (PIB)

Valeur de tout ce qui est produit (pétrole, bois, électricité, services comptables, etc.) dans un lieu (le Québec, le Canada, la zone euro, le monde, etc.).

PROFIT

Une fois les dépenses effectuées et les provisions prises, ce qui est en surplus, c'est le bénéfice, le gain, le profit. Le capitalisme le valorise. Marx disait que le profit était du travail non rémunéré.

RATIO

Rapport entre deux données. Josée fait 100 000 $, Sébastien 10 000 $. Ratio de 10, Josée fait 10 fois le revenu de Sébastien.

RÉCESSION

Période de décroissance économique et de pertes d'emplois. Techniquement et simplement, il est souvent rapporté qu'au moins deux trimestres de décroissance du PIB représentent une récession.

REFINANCEMENT

Réorganiser le financement d'une activité ou d'un projet. Revoir le montant financé, le taux d'intérêt, la durée, etc.

RENDEMENT

Bénéfice effectué sur le capital de base. Luc investit 100 $. Il le retire six mois plus tard à 110 $. Rendement de 10 %.

RENTE
Pension, revenu sur un bien ou capital.

RENTE VIAGÈRE
Revenu fixe jusqu'à la mort. La rente viagère peut être adoptée à la retraite. Au décès, peut être transférée au conjoint.

RÉSERVE FÉDÉRALE
Banque centrale des États-Unis. Établit sa politique en fonction de l'inflation et de l'emploi. Émet les billets de banque.

RÉSERVES FRACTIONNAIRES
C'est la partie des dépôts que vous faites à la banque que l'institution garde en réserve pour répondre aux demandes de retraits.

REVENU MÉDIAN
Revenu en plein milieu, entre le groupe qui gagne plus et le groupe qui gagne moins.

REVENU MOYEN
Les revenus de tous les membres sont additionnés et divisés par le nombre de membres.

R & D
Recherche et développement, activité essentielle pour innover, découvrir et améliorer sa productivité.

SCHISTE
Roche, pierre feuilletée.

SOCIÉTÉ CIVILE
Ensemble de gens qui ne sont pas du milieu politique.

SPÉCULATION
Miser sur une hausse ou une baisse dans le but de faire un profit et non d'investir à long terme.

S&P/TSX
Indice principal de la Bourse de Toronto qui regroupe environ 240 entreprises représentant près de 70 % de la capitalisation de la Bourse. Le tiers de l'indice est composé d'actions financières et le quart de titres énergétiques.

SUBPRIME (CRÉDIT HYPOTHÉCAIRE À RISQUE)
Hypothèque à risque élevé de défaillance.

SURPLUS
Plus de revenus que de dépenses sur une année, un exercice.

TAUX D'INTÉRÊT
Valeur en pourcentage de l'intérêt à verser par rapport à un montant donné.

TAUX DE CHANGE
Niveau d'ajustement lors de l'échange entre deux devises.

TAUX DE CHÔMAGE
Nombre de chômeurs par rapport à la population active.

TAUX D'EMPLOI
Nombre de personnes qui travaillent par rapport à la population en âge de travailler (15 ans et plus).

TAUX DIRECTEUR
Taux établi par la Banque du Canada qui oriente les taux quotidiens sur les prêts entre institutions financières.

TAUX PRÉFÉRENTIEL
Taux réservé aux meilleurs clients d'une institution financière. Sert de base dans le calcul des taux variables, ajouté ou réduit d'un pourcentage établi par l'institution.

TITRE DE CRÉANCE
Obligation, bon du Trésor, dette.

VALEUR RÉSIDUELLE
Valeur d'un bien à la fin de sa durée d'utilisation, de location ou d'amortissement.

VENTE À DÉCOUVERT
Vendre un titre emprunté à un courtier à un prix donné, le racheter et le remettre au courtier. Exemple : vous vendez un titre emprunté à 10 $. Il tombe à 5 $. Vous l'achetez et vous le remettez au courtier, vous avez fait un gain de 5 $. Mais, si le titre monte à 15 $ et si vous l'achetez, vous devrez payer 5 $.

WALL STREET

Rue où se trouve la Bourse de New York. On emploie ce nom pour parler du secteur financier de New York.

ZONE EURO

Zone regroupant les 17 pays utilisant la devise euro.

SIGNES ET ACRONYMES

AMF	Autorité des marchés financiers
ASC	Agriculture soutenue par la communauté
CAA	Association canadienne des automobilistes
CELI	Compte d'épargne libre d'impôt
CAR	Center for Automotive Research
CHUM	Centre hospitalier de l'Université de Montréal
CPE	Centre de la petite enfance
FAO	Organisation des Nations Unies pour l'alimentation et l'agriculture
FERR	Fonds enregistré de revenu de retraite
FMI	Fonds monétaire international
G20	Groupe des 20*
GES	Gaz à effet de serre
IPC	Indice des prix à la consommation
NACO	National Angel Capital Organization
NBER	National Bureau of Economic Research
OCDE	Organisation de coopération et de développement économiques

* Dix-neuf pays et Union européenne : Afrique du Sud, Canada, Mexique, États-Unis, Argentine, Brésil, Chine, Japon, Corée du Sud, Inde, Indonésie, Arabie saoudite, Russie, Turquie, Union européenne, France, Allemagne, Italie, Royaume-Uni, Australie.

ONG	Organisation non gouvernementale
ONU	Organisation des Nations Unies
PCAA	Papier commercial adossé à des actifs
PDG	Président et directeur général ou président et chef de la direction
PME	Petite et moyenne entreprise
REEE	Régime enregistré d'épargne-études
REER	Régime enregistré d'épargne-retraite
RPC	Régime de pensions du Canada
RRQ	Régie des rentes du Québec
SEC	U.S. Securities and Exchange Commission
SRG	Supplément de revenu garanti
SADC	Société d'assurance-dépôts du Canada
SAQ	Société des alcools du Québec
S&P	Standard & Poor's
TPS	Taxe sur les produits et services
TVA	Taxe sur la valeur ajoutée
TVQ	Taxe de vente du Québec
UE	Union européenne

Pour préparer ce glossaire et ces sigles et acronymes sans prétention, merci au Petit Robert, au merveilleux monde du Web et à la mémoire qui parfois, oui, ne fait pas défaut.

INDEX

NOTES

Chapitre 1

1   http://www.td.com/document/PDF/economics/special/ca0112_personal_debt.pdf

2   http://www.fcac-acfc.gc.ca/ft-of/credit-1-7-fra.aspx

3   http://www.banqueducanada.ca/wp-content/uploads/2012/02/revue_hiver11-12.pdf

4   *Ibid.*

5   http://www.ratehub.ca/taux-fixe-ou-variable

6   http://www.caamp.org/meloncms/media/Changements_du_marche_hypothecaire.pdf

7   http://www.canadianmortgagetrends.com/canadian_mortgage_trends/2008/04/fixed-or-variab.html

8   http://www.canadianmortgagetrends.com/canadian_mortgage_trends/2010/03/ideas-for-choosing-between-a-fixed-and-variable-rate.html

9   http://www.ericbrassard.com/media/documents/articles/LOUER%20OU%20ACHETER%20SA%20VOITURE.pdf

10   http://auto.lapresse.ca/conseils/consommation/201203/04/01-4502311-louer-ou-acheter-le-cout-est-bien-different.php

11   http://www.opc.gouv.qc.ca/conseils-consommation/#.UctMfxw4KPQ

12   http://www.radio-canada.ca/nouvelles/carnets/2011/04/12/132719.shtml

13   http://www.rncan.gc.ca/energie/sources/infrastructure/1285

14   http://auto.lapresse.ca/conseils/consommation/201203/04/01-4502311-louer-ou-acheter-le-cout-est-bien-different.php

15   Il faut savoir que la production pétrolière a fortement augmenté aux États-Unis depuis la fin de la première décennie des années 2000 et cette production s'accélère grâce au pétrole de schiste. Il est prévu, selon l'Agence internationale de l'énergie, que les États-Unis deviendront le premier producteur de pétrole du monde en 2015, après quoi son niveau de production devrait se stabiliser, puis baisser. Entre-temps, les prix du pétrole, malgré une production plus forte, ne baissent pas puisque la demande continue d'augmenter.

16   Günter J. Hitsch, Ali Hortaçsu et Dan Ariely (2010). «Matching and Sorting in Online Dating», *American Economic Review*, 100:1, p. 130-163.

Chapitre 2

1   http://www.cra-arc.gc.ca/tx/ndvdls/tpcs/tfsa-celi/menu-fra.html
2   http://www.lautorite.qc.ca/fr/reer.html
3   http://www.cra-arc.gc.ca/tx/ndvdls/tpcs/rrif-ferr/menu-fra.html
4   http://www.planiguide.ca/planiguide/module-ix-programmes-daide-la-retraite/regime-enregistre-depargne-retraite/
5   https://www.banquelaurentienne.ca/fr/services_particuliers/mon_avenir/fond_revenu_retraite.html
6   http://www.rrq.gouv.qc.ca/SiteCollectionDocuments/www.rrq.gouv.qc/Francais/publications/rapport_comite/Rapport.pdf
7   http://www.rrq.gouv.qc.ca/fr/travail/situation_emploi_change/changements_entreprise/Pages/repercussions_sur_rpd.aspx
8   http://www.rrq.gouv.qc.ca/SiteCollectionDocuments/www.rrq.gouv.qc/Francais/publications/rapport_comite/Presentation.pdf
9   http://affaires.lapresse.ca/opinions/chroniques/stephanie-grammond/201305/03/01-4647388-la-mort-lente-de-la-pension-de-la-vieillesse.php
10 L'âge pour avoir accès à la pension de vieillesse et au Supplément de revenu garanti passera progressivement de 65 à 67 ans au Canada, entre 2023 et 2029.
11 http://www.servicecanada.gc.ca/fra/psr/sv/svtaux.shtml
12 http://www.rrq.gouv.qc.ca/SiteCollectionDocuments/www.rrq.gouv.qc/Francais/publications/rapport_comite/Rapport.pdf
13 Si votre conjoint a plus de 65 ans et touche le SRG, vous pourriez y avoir accès dès l'âge de 60 ans.
14 http://www.servicecanada.gc.ca/fra/psr/pub/sv/srgprincipale.shtml
15 http://www.rrq.gouv.qc.ca/SiteCollectionDocuments/www.rrq.gouv.qc/Francais/publications/rapport_comite/Rapport.pdf
16 Meghan Busse, Devin Pope, Jaren Pope et Jorge Silva-Risso (2012). «Projection Bias in the Car and Housing Markets», NBER Working Paper no 18212.

Chapitre 3

1   Statistique Canada, Tableau 202-0703.
2   http://www.desjardins.com/fr/particuliers/evenements/declaration-revenus/quebec_2013.pdf
3   http://www.finances.gouv.qc.ca/documents/Statistiques/fr/STAFR_sfp_2010.pdf
4   http://www.policyschool.ucalgary.ca/?q=content/support-business-rd-budget-2012-two-steps-forward-and-one-back
5   http://www.finances.gouv.qc.ca/documents/Statistiques/fr/STAFR_sfp_2010.pdf
6   http://www.la-croix.com/Actualite/Economie-Entreprises/Economie/Apple-critique-sur-sa-strategie-d-evitement-fiscal-2013-05-22-963245
7   http://www.economist.com/news/leaders/21571873-how-stop-companies-and-people-dodging-tax-delaware-well-grand-cayman-missing-20
8   http://www.slate.fr/story/70407/paradis-fiscal-guide-specialistes
9   http://www.financialsecrecyindex.com/Archive2011/FSI-2011/FSI-Rankings.pdf pour l'étude de 2013, voir: http://www.financialsecrecyindex.com/introduction/fsi-2013-results

10   http://www.cbc.ca/news/interactives/canada-offshore-accounts/

11   http://medac.qc.ca/documentspdf/actionnariat/2011-03-03_memoire_paradis.pdf

12   Étude de BMO Nesbitt Burns, citée dans le *Globe and Mail* du 16 octobre 2013. http://www.theglobeandmail.com/report-on-business/canada-us-price-gap/article14769531/?from=14884494

13   http://www.bankofcanada.ca/2013/11/publications/speeches/price-puzzles-exchange-rate/

14   Finance Canada (2012). « Les transferts au Canada ».

15   Frédéric Laurin (2009). *Où sont les vins?*, Éditions Hurtubise.

16   http://www.985fm.ca/audioplayer.php?mp3=190053

17   http://www.parl.gc.ca/About/Senate/Monarchy/senmonarchy_00-f.htm

18   http://www.gg.ca/PDF/FinanceFR2011_12.PDF

19   http://www.gg.ca/document.aspx?id=244&lan=fra

20   Burton Malkiel (1973). *Une marche au hasard à travers la Bourse.*

Chapitre 4

1   http://www.banqueducanada.ca/wp-content/uploads/2010/11/taux_cible_financement_sept2012.pdf

2   http://www.banqueducanada.ca/wp-content/uploads/2010/07/act_loi_boc_bdc.pdf

3   Yoram Weiss (1997). « The Formation and Dissolution of Families », dans Mark Rosenzweig et Oded Stark. *Handbook of Population and Family Economics*, Elsevier Science B. V.

Chapitre 5

1   A. Edward Safarian (2009). *The Canadian Economy in the Great Depression*, Montréal, McGill-Queen's University Press.

2   http://www.nber.org/cycles.html

3   http://www.tradingeconomics.com/united-states/gdp-growth-annual

4   http://www.treasury.gov/resource-center/data-chart-center/tic/Documents/mfh.txt

5   http://www.sadc.ca/Pages/default.aspx

6   http://www.desjardins.com/fr/particuliers/produits_services/epargne_placements/placements_indiciels/faq/desjardins_rassurant.jsp

7   http://www.theglobeandmail.com/report-on-business/ottawas-bail-in-plan-protects-deposits/article10823685/

8   http://www.bankofcanada.ca/wp-content/uploads/2013/06/bfs_june2013.pdf

9   http://www.stat.gouv.qc.ca/regions/profils/profilo2/societe/marche_trav/indicat/tra_remuneration02.htm

10 Marianne Bertrand, Emir Kamenica et Jessica Pan (Octobre 2013). « Gender Identity and Relative Income within Households », Working paper, University of Chicago.

Chapitre 6

1   http://www.lemonde.fr/economie/article/2013/02/05/standard-poor-s-n-en-
a-pas-fini-avec-les-subprimes_1827135_3234.html

2   http://www.banqueducanada.ca/wp-content/uploads/2012/01/rsf-1208-gomes.pdf

3   http://www.shearman.com/~/media/Files/NewsInsights/News/2013/01/
OBrien%20Mattei%20and%20Thomas%20Publish%20Article%20on%20Sove__/
Files/View%20full%20article%20Sovereign%20Wealth%20Funds%20Evolvin__/
FileAttachment/SovereignWealthFundsEvolvingPerceptionsandStrate__.pdf

4   *Ibid.*

5   http://www.economist.com/node/10533428

6   http://www.finance.alberta.ca/business/ahstf/

7   http://www.budget.finances.gouv.qc.ca/fondsdesgenerations/

8   http://www.shearman.com/~/media/Files/NewsInsights/News/2013/01/
OBrien%20Mattei%20and%20Thomas%20Publish%20Article%20on%20Sove__/
Files/View%20full%20article%20Sovereign%20Wealth%20Funds%20Evolvin__/
FileAttachment/SovereignWealthFundsEvolvingPerceptionsandStrate__.pdf

9   http://www.lefigaro.fr/conjoncture/2011/11/17/04016-20111117ARTFIG00595-dette-
le-vrai-cout-du-credit-aux-etats.php

10   http://www.oec.gc.ca/bienvenue/

11   http://www.epq.gouv.qc.ca/F/Info/principal.aspx

12   http://www.conferencedesjuristes.gouv.qc.ca/textes-de-conferences/pdf/1996/
Lefondsconsolidedurevenuetsagestion.pdf

13   http://www2.publicationsduquebec.gouv.qc.ca/dynamicSearch/telecharge.
php?type=2&file=/A_6_001/A6_001.html

14   http://www4.gouv.qc.ca/FR/Portail/Citoyens/programme-service/Pages/Info.
aspx?sqctype=sujet&sqcid=1844

15   http://www.budget.finances.gouv.qc.ca/Budget/2013-2014/fr/documents/
Planbudgetaire.pdf

16   Garett Jones (2012). « Will the Intelligent Inherit the Earth? IQ and Time
Preference in the Global Economy », Center for Study of Public Choice, George
Mason University.

Chapitre 7

1   http://finance.yahoo.com/news/ibm-1q-net-income-slips-results-miss-expectations-222615721--finance.html

2   http://www.bloomberg.com/news/2013-04-18/ibm-revenue-misses-analysts-estimates-as-hardware-sales-slow.html

3   http://www.bloomberg.com/news/2013-06-12/ibm-said-to-start-u-s-jobs-cuts-amid-1-billion-restructuring.html

4   « Quel rôle joue la spéculation financière? », *Alternatives économiques*, no 301, avril 2011, p. 9.

5   https://globalderivatives.nyx.com/fr/contractspecification/contrat-a-terme-sur-le-ble-fourrager

6   http://www.m-x.ca/produits_options_devises_fr.php

7   http://www.culture.fr/franceterme/result?francetermeSearchTerme=cds&francetermeSearchDomaine=0&francetermeSearchSubmit=rechercher&action=search

8   « Comment les spéculateurs profitent de la crise », *Alternatives économiques*, no 289, mars 2010, p. 11-12.

9   http://archive.wikiwix.com/cache/?url=http://www.fsa.ulaval.ca/personnel/vernag/REF/Textes/james_tobin.htm&title=texte_intégral

10 « Taxe Tobin : on progresse », *Alternatives économiques*, no 318, novembre 2012, p. 17.

11 « Taxer les banques », *Le Monde économie*, no 20297, 27 avril 2010, p. 1-2.

12 « Taxer les transactions financières? », *Alternatives économiques*, no 305, septembre 2011, p. 19.

13 *Ibid.*

14 http://www.lefigaro.fr/conjoncture/2013/05/30/20002-20130530ARTFIG00648-la-taxe-tobin-en-passe-d-etre-enterree.php

15 http://www.rtbf.be/info/dossier/toute-l-info-europeenne-de-la-rtbf/detail_la-taxe-tobin-reduite-a-sa-plus-simple-expression?id=8007630

16 http://www.lefigaro.fr/conjoncture/2013/05/30/20002-20130530ARTFIG00648-la-taxe-tobin-en-passe-d-etre-enterree.php

17 http://www.fao.org/docrep/013/am172f/am172f00.pdf

18 http://www.bdm.insee.fr/bdm2/affichageSeries.action;jsessionid=FFDA1EDF-7FD3B441B14255781B3210FA?idbank=000810681&page=graphique&code-Groupe=298&recherche=idbank

19 «Quand le Sud vend sa terre», *Alternatives économiques*, no 281, juin 2009, p. 37-39.

20 http://www.un.org/apps/newsFr/storyF.asp?Cr=Ziegler&Cr1=biocarburants&NewsID=15101#.UdLp5Rw4KIw

21 « Le G20 au chevet de l'agriculture », *Alternatives économiques*, no 303, juin 2011, p. 33.

22 « Un défi majeur : nourrir le monde », *Alternatives économiques*, no 301, avril 2011, p. 56.

23 La capitalisation boursière, c'est la valeur boursière. Ce n'est pas la valeur totale d'une entreprise, qui doit comprendre aussi la dette.

24 http://ca.spindices.com/indices/equity/sp-500

25 http://www.spindices.com/indices/equity/sp-tsx-composite-index

26 http://kimauclair.ca/blog/comment-creer-de-la-valeur/

27 http://www.economist.com/node/14301714

28 http://blogues.radio-canada.ca/geraldfillion/2012/09/17/un-mode-de-vie-jardinier-maraicher-bio/

29 http://www.tresor.economie.gouv.fr/File/341025

30 *Ibid.*

31 http://www.lemonde.fr/economie/article/2011/09/28/l-or-n-est-plus-une-valeur-refuge_1578483_3234.html

32 *Ibid.*

33 http://shop.lego.com/fr-CA/Kit-identité-et-paysage-LEGO-SERIOUS-PLAY-2000430?_requestid=2192958

34 http://www.strategicplay.ca/upload/documents/the-science-of-lego-serious-play.pdf

Chapitre 8

1 http://www.google.ca/url?sa=t&rct=j&q=spéculation%20nécessaire&-source=web&cd=4&ved=0CEYQFjAD&url=http%3A%2F%2Fwww.lafinancepourtous.com%2Fcontent%2Fview%2Fpdf%2F15535&ei=ZdpaUvTwOcS5qAGekIDAAw&usg=AFQjCNFH5JESKxT5w4hSEyJfFP33qWp4Jg&-sig2=-rH44r2A6fQdQDEnqpomqQ&bvm=bv.53899372,d.aWM

2 « Faut-il interdire la spéculation ? », *Alternatives économiques*, no 307, novembre 2011, p. 76-77.

3 http://www.barclayhedge.com/research/educational-articles/hedge-fund-strategy-definition/what-is-a-hedge-fund.html

4 http://www.barclayhedge.com/research/indices/ghs/mum/HF_Money_Under_Management.html

5 http://www.les-crises.fr/les-hedge-funds/

6 « Le roi est nu – titrisation », *Alternatives économiques*, no 282, juillet-août 2009, p. 68-69.

7 « La machine à dettes », *Alternatives économiques*, no 274, novembre 2008, p. 48.

8 http://online.wsj.com/article/SB10001424127887324310104578511200612658708.html

9 Jack T. Ciesielski (Octobre 2013). « Nothing Succeeds like Success », *The Analyst's Accounting Observer.*

10 http://www.radio-canada.ca/sujet/question-100-dollars

11 http://www.sec.gov/news/studies/2010/marketevents-report.pdf

12 *Le Petit Robert* 2011.

13 *Le Petit Robert* 2011.

14 http://angesquebec.com/

15 http://www.lesaffaires.com/archives/generale/les-anges-financiers-donnent-des-ailes-a-l-entrepreneuriat/555306#.UcswRxw4KPQ

16 http://pitchfork.com/features/articles/8993-the-cloud/

17 « The New Economics of the Music Industry », *Rolling Stone Magazine*, 25 octobre 2011.

Chapitre 9

1   http://stats.oecd.org/Index.aspx?DatasetCode=PDYGTH

2   http://www.sedar.com/DisplayCompanyDocuments.do?lang=FR&issuerNo=00034434

3   http://ocaq.qc.ca/terminologie/affichage_bulletin.asp?ID=127

4   http://www.chantier.qc.ca/

5   http://economiesocialequebec.ca/

6   Entrevue à RDI économie avec le professeur Yvan Allaire – 13 juin 2013 – *propos paraphrasés.*

7   http://www.cle-des-champs.qc.ca/sites/cle-des-champs.qc.ca/files/depliant_final_panier2013.pdf

8   http://www.cirano.qc.ca/pdf/publication/2013RP-09.pdf

9   L'Islande aurait « toujours de réelles difficultés à financer les investissements nécessaires à sa relance », selon Michel Sallé, docteur en sciences politiques et spécialiste de l'Islande, cité dans cet article du *Point* : http://www.lepoint.fr/debats/l-islande-une-nouvelle-utopia-26-02-2012-1435208_34.php

10   http://www.forbes.com/sites/steveschaefer/2013/03/14/a-look-back-at-bear-stearns-five-years-after-its-shotgun-marriage-to-jpmorgan/

11   http://lecercle.lesechos.fr/entreprises-marches/finance-marches/bourse/221161570/pourquoi-systeme-financier-mondial-panique-t-de

12   Collectif (2012). *The Economics Book*, DK, p. 325.

13   http://www.cargroup.org/?module=Publications&event=View&pubID=16

14   http://useconomy.about.com/od/criticalssues/a/auto_bailout.htm

15   http://www.fin.gc.ca/n11/11-040-fra.asp

16   http://www.radio-canada.ca/regions/Ontario/2012/11/30/002-generalmotors-ontario-vendre.shtml

17   http://online.wsj.com/article/SB10001424052702303745304576361663907855834.html

18   http://money.cnn.com/2012/09/06/autos/auto-bailout/index.html

19   http://www.conferenceboard.ca/hcp/details/innovation/publicrandd.aspx

20   « Has the Ideas Machine Broken Down », *The Economist*, 12 janvier 2013.

21   Rapport du groupe d'experts sur le soutien fédéral de la R-D : http://examen-rd.ca/eic/site/033.nsf/fra/accueil

22   Robert J. Gordon (2012). « Is U.S. Economic Growth Over? Faltering Innovation Confronts the Six Headwinds », NBER Working Paper no 18315. (Aussi en conférence sur TED : http://www.ted.com/talks/robert_gordon_the_death_of_innovation_the_end_of_growth.html

23   Benjamin F. Jones (2009). « The Burden of Knowledge and the "Death of the Renaissance Man" : Is Innovation Getting Harder? », *Review of Economic Studies*, 76(1), p. 283-317.

Chapitre 10

1   Mohammad Shakeri, Richard S. Gray et Jeremy Leonard (2012). *Dutch Disease or Failure to Compete? A Diagnosis of Canada's Manufacturing Woes*, Institut de recherche en politiques publiques.

2   *Ibid.*

3   http://tuckcop18.wordpress.com/2012/11/26/whats-a-business-school-doing-in-doha-at-cop18-professor-anant-sundaram/

4   OCDE (2013). « Le climat et le CO2 : aligner les prix et les politiques », disponible en anglais seulement : http://www.oecd-ilibrary.org/environment-and-sustainable-development/climate-and-carbon_5k3z11hjg6r7-en

5   http://www.radio-canada.ca/sujet/petrole-quebec/2013/03/25/001-anticosti-petrole-richesse-naturelle.shtml

6   http://www.ledevoir.com/environnement/actualites-sur-l-environnement/379828/au-moins-12-000-puits-de-petrole-sur-anticosti

7   http://www.google.com/hostednews/afp/article/ALeqM5jUgC-5Mjbl8ZCsvrnPQs7qcBswsOA?docId=ffbacaa7-4c2b-4295-b472-fa60dd812f68

8   http://www.dailymotion.com/video/xnoc78_gerald-fillion-old-harry_news

9   http://www.google.com/hostednews/afp/article/ALeqM5jUgC-5Mjbl8ZCsvrnPQs7qcBswsOA?docId=ffbacaa7-4c2b-4295-b472-fa60dd812f68

10 http://mobi.iedm.org/fr/43934-la-realite-energetique-du-quebec

11 http://www.mrn.gouv.qc.ca/energie/statistiques/statistiques-import-export-petrole.jsp

12 http://quebec.huffingtonpost.ca/2013/02/03/bernard-landry-petrole-quebec_n_2610425.html

13 http://www.transcanada.com/oleoduc-energie-est.html

14 http://www.gaznaturelcanadien.ca/interet-et-politique/fracturation-hydraulique

15 http://www.connaissancedesenergies.org/fiche-pedagogique/fracturation-hydraulique

16 http://www.fas.org/sgp/crs/misc/R42461.pdf

17 http://www.courrierinternational.com/article/2012/11/13/les-etats-unis-a-deux-doigts-de-l-independance-energetique

18 http://www.mrn.gouv.qc.ca/mines/industrie/metaux/index.jsp

19 *Alternatives économiques*, « Des terres rares très recherchées », no. 314, juin 2012, p.43.

20 http://www.mrn.gouv.qc.ca/mines/industrie/metaux/metaux-proprietes-terres-rares.jsp

21 *Ibid.*

22 http://www.mrn.gouv.qc.ca/mines/industrie/metaux/metaux-proprietes-terres-rares.jsp

23 http://usa.chinadaily.com.cn/business/2013-09/24/content_16989052.htm

24 «Des terres rares très recherchées», *Alternatives économiques*, no 314, juin 2012, p. 44-45.

25 http://indices.usinenouvelle.com/metaux-non-ferreux/metaux-mineurs/les-prix-des-terres-rares-se-redressent.4779

26 S. Beraldo, R. Caruso et G. Turati (2012). *Life is Now! Time Discounting and Crime: Aggregate Evidence from the Italian Regions (2002-2007)*, document de travail no 3, Université de Turin